U0137174

探索古文明
未解之謎

樓蘭古城為何會突然衰敗？
神秘的亞特蘭蒂斯的遺址在哪裡？……

今日的風塵，掩藏不住昔日的繁華。

讓我們在廢墟和遺址中，尋找失落的遠古文明。

劉艷霞———編著

前　言

在遠古時代，人類憑著探索的精神，逐漸認識了解並改造了他們所生存的環境，從結繩記事的時代一直走到了今天。可以說，整個人類文明的發展史，就是一部探索發現史，人類社會就是在不斷地探索與發現未知事物，將未知變成已知中前進的。然而人類在一邊解答著一個個謎團的同時，又一邊在創造著一個個謎團。前人已經解開了無數謎團，但留給我們的依然是一個神秘而奇異的世界。

樓蘭古城為何突然衰落？神秘的亞特蘭蒂斯的遺址在哪裡？瑪雅文明為何會消失？古埃及人是如何建成宏偉的金字塔的？澳大利亞原始洞穴中的岩壁上為何會有各種各樣的手印？……你是否會好奇：這些曾經燦爛的古文明究竟隱藏著多少秘密？

本書分為亞洲古文明、歐洲古文明、美洲古文明和非洲、南太平洋諸島古文明四個部分，編者從不同地域的古文明中擷取了青少年朋友們最為關注的疑點和謎團，並結合諸多文獻以及考古、科研方面的最新研究成果，以客觀、嚴謹、求實的態度，將謎團背後隱藏的疑點儘量翔實地展現出來。期望所有對古文明未解之謎感興趣的青少年朋友們，能通過本書拓展視野、開啟心智。本書中，科普性與趣味性有機結合，簡潔的文字和精美的圖片相得益彰。編者做出了種種努力，務必使原本艱澀、嚴謹的科學論證變得通俗易懂，妙趣橫生。

　　昨天的未解之謎，今天已經不再神秘。希望青少年朋友通過閱讀此書，能夠培養出可貴的探索求知精神，去解答今天的一個個未解之謎。

編　者

亞洲古文明

美洲古文明

非洲、南太平洋諸島古文明

探索古文明
未解之謎

亞洲古文明

　　樓蘭古城為何突然衰敗？吳哥古跡裡隱藏著怎樣的秘密？「古代世界第八奇蹟」又是怎麼一回事？西元前就有人發明了電池嗎？……這些發源於亞洲的古文明讓人嘆絕之餘，還留有許多未解之謎。

河西走廊上的古城遺跡之謎

河西走廊(又稱「甘肅走廊」),東起烏鞘嶺,西至玉門關,南北介於南山(祁連山和阿爾金山)和北山(馬鬃山、合黎山和龍首山)之間,長約一千公里,形如走廊。因位於黃河以西,故稱「河西走廊」。

西元一九六八年,當地群眾在該處修建水庫時,發現了一座古城遺跡,內有石臼、鐵刀、銅扣、鐵犁、陶罐等生活及生產工具。出土的鐵鐘殘塊上還刻有文字,但銹蝕不清,無法辨認。

一些外國學者考察後,認為這座城是由古羅馬人建造的。根據出土文物並參考有關記載,學者們又推測出此城應為漢武帝元鼎六年(西元前一一一年)所置。令中國學者吃驚的是,這個時期恰好也是古羅馬時代。永昌在漢武帝時稱做驪軒,而在《史記·大宛列傳》中「驪軒」又是對古羅馬的稱呼。綜合來看,這似乎不僅僅是一種巧合。

西元前五十三年，古羅馬共和國三大執政官之一的克拉蘇為了爭奪權力，率領四萬多人的軍團向東遠征安息(今伊朗)，在卡爾萊(今敘利亞的帕提亞)遭圍殲，結果兵敗，僅剩六千人突圍。之後，這支成功突圍的古羅馬軍隊就神秘的消失了，成為羅馬史上的一個謎團。新華社資深記者李希光先生撰文稱，國際史學界近年來有人推測，這支古羅馬軍隊最後逃到永昌這個地區並落了戶。因此，這座古城很可能就是這些古羅馬移民建造的。

　　除此之外，支持「古羅馬城」之說的人還有一個依據：在《史記・匈奴傳》和《漢書・地理志》中，有關於「魚鱗陣」的描述。有人考證說，這種陣式就是古羅馬士兵手持盾牌組成的方陣。但是，蘭州大學歷史系的劉光華教授指出，「魚鱗陣」並不是古羅馬軍隊所獨有的作戰手段，事實上，中國軍隊使用「魚鱗陣」的歷史比古羅馬更早。劉教授認為，在《左傳》中出現過的「魚麗陣」，實際上就是「魚鱗陣」。因此，他認為並不能以「魚鱗陣」作為判斷的依據。

樓蘭古城突然衰敗之謎

　　幾千年前，樓蘭古城曾是絲綢之路上令人神往的樂園；幾千年後，它又成為了絲綢之路上引人入勝的謎題。

樓蘭古墓

　　樓蘭古城位於密集的雅丹地貌，最顯眼的建築遺跡是古城中部的「洞房」，其牆壁是整個城市中唯一使用土坯壘砌而成的。古城城市功能齊全且佈局分明，城西是居住區，城東則設置了行政和軍事區，城市規劃和發展顯而易見。樓蘭古城作為南北兩條絲綢之路的交會

點，加上臨近孔雀河，因此曾在絲綢之路上輝煌一時。

西元一九七九年，考古學家對樓蘭遺址進行了考察，發現了震驚世界的樓蘭古墓。這些墓葬由圓木壘成，周邊圓木呈放射狀排列，整個形狀就像太陽。在這些古墓中是沉睡了四千多年卻依然保存完好的樓蘭少女遺體。這些少女被裹在毛毯之中，全身赤裸，這樣的葬俗極為罕見。這些墓葬證明了早在四千多年前，這一地區就已經有了較為發達的文明。

另據史書記載，漢代時，樓蘭已發展成為富強的國家，控制著絲綢之路的咽喉要道，被列為西域三十六國之一。「樓蘭」一詞甚至成了中原人對神秘西域的代稱。漢朝為了從匈奴手中取得對西域的控制權，曾對樓蘭進行過血腥的爭奪，最終將它收歸自己屬下，改名鄯善。

然而到了四世紀左右，樓蘭就從史書中消失了。從考古學家的發現來看，樓蘭遺址中雖然有大量珍貴的器物、絲織品和錢幣等，但卻沒有發現大批屍骨，可見這是一座被廢棄的城市。它究竟遭遇了什麼樣的災難呢？有人認為是羅布泊的漂移和過度放牧開墾造成了當地生態環境的惡化，使樓蘭人被迫遠走他鄉。那麼，樓蘭人的後裔又流落到了何方呢？這仍是一個未解之謎。

神秘的三星堆之謎

　　二十世紀二〇年代，位於四川省廣漢市南興鎮北的三星堆遺址無意中被人發現，很快便吸引來了許多考古學家。

　　到了西元一九八六年，三星堆考古工作迎來了史上最輝煌的時期，當時發掘出的兩個祭祀坑裡出土了上千件精美無比的青銅器、玉器和金器。三星堆很快因其久遠的歷史、精美的文物、獨特的文化和難測的神秘引起了世人矚目。

　　之後，人們在這裡發掘並確認了古城的東城牆、西城牆和南城牆。因此，專家們一致認為三星堆早期是一座古城。它的東、西、南三面被城牆包圍，北面則是鴨子河這道天然屏障。據測量，圍牆內的面積超過三千平方公尺。這樣大的古城在中國同時期文化中也屬罕見。

　　經專家推測，三星堆遺址的年代最早到新石器時期，最晚到西周早期，時間跨度從五千年前至三千一百年前，

綿延約兩千年。專家還認為，這裡是成都平原上歷史最久的古蜀國的中心。

那麼，建都於三星堆的古蜀國究竟是一個怎樣的國度呢？它為什麼能創造出如此豐富精美的器物呢？它所代表的古蜀文化與中原文化又有著怎樣的聯繫呢？

「蠶叢魚鳧」

據古代傳說記載，古蜀國有五代蜀王：蠶叢、柏灌、魚鳧、杜宇和開明氏。據推測，前三代蜀王的統治時期是從夏朝至商末周初，這正好與三星堆遺址的年代相近。

除此之外，三星堆出土了大量鳥形器，其中以魚鷹的造型最多，而「魚鳧」就是魚鷹的意思，那些喙部像魚鷹的器具可能就是魚鳧王的象徵或者是其族徽。這些文物能證明「蠶叢魚鳧」的存在，而三星堆很可能就是「蠶叢魚鳧」時期古蜀國的國都。雖然這裡沒有發現可識讀的文字，但是已經建立了城市，生產了代表高度發達的生產力的青銅器，還有大型的宗教祭祀場所。現有的史書對古蜀國的記載相當少，我們是否可以憑借三星堆這一重大發現來填補歷史的空白呢？相信隨著對三星

堆出土文物的進一步研究，已經積上厚重塵埃的古蜀國的面目終將一天天顯現出來。

權杖

　　祭祀坑裡出土的文物中，有一柄長達一點四二公尺的純金包裹的木芯權杖，上面刻有精美、神秘的紋飾。杖的上端是魚和鳥的圖案，下面是兩個頭戴高冠、耳掛三角耳環的人頭像。用黃金權杖來象徵權力是古代埃及的傳統，而在中國古代，一直是用九鼎來象徵權力的。那麼，這柄木杖究竟有什麼作用？它真的是權杖嗎？如果是，它又是誰的權杖呢？

青銅神樹

　　在三星堆出土的文物中，一棵高達三點九五公尺的青銅神樹尤為引人注目。它分為三層，共有九枝，每個枝頭上都立有一鳥，據說那不是一般意義上的鳥，而是一種代表太陽的神鳥。它是古蜀居民的圖騰之一，也是氏族部落的標誌。

　　關於這株大樹，人們的說法也不一致，有人猜測它可能是用來祭天的神樹，也有人說它是與財富有關的搖

錢樹。青銅神樹究竟象徵什麼，尚無處考證。

青銅立人像

著名的青銅立人像是三星堆的另一個焦點。它高達一點七二公尺，身穿長袍，頭戴花形高冠。人像濃眉大眼，寬嘴方臉，長頸大耳，雙手持物端於胸前，赤腳站立在獸頭形的方座上。他到底是什麼身份？人們對此猜測紛紛：有人認為他是國王，他戴的花冠即王冠；也有人認為他是巫師，其腳下站的就是法壇；甚至有人認為他是外國人，因為他的長相不像中國人。由於沒有其他輔證資料，所以想要弄清楚他的真實身份目前還很困難。

青銅面具

三星堆出土的青銅面具都十分突出人的眼睛，這也引起了研究者的興趣：古蜀國的居民是否有眼睛崇拜呢？部分專家認為有，因為眼睛有洞察事物的能力，也是人類征服自然的主要工具，很可能因此而受到特殊對待，被作為重點刻在了各種青銅面具上。

三星堆給我們留下了太多難解之謎，期待有一天科學家能為我們揭開謎底。

半坡遺址之謎

六千年前的中華大地上，告別了茹毛飲血的人類步入了母系氏族的繁榮時期。那時，在黃河流域出現了上千座仰韶文化的原始村落，位於西安市東郊的半坡遺址就是一個典型代表。

小兒甕棺葬之謎

半坡遺址中原始村落的形狀接近於圓形，圍繞著村落的是一條寬寬的防禦溝。在防禦溝旁邊的是公共墓地，村裡的成年人死後，都被埋在這裡。

讓人奇怪的是，在居住區的窩棚附近，常可以發現一些大的陶甕，有的還是兩個大甕互相套疊。甕口覆蓋著一個陶盆或陶缽，陶盆底部往往有一個小孔。這就是仰韶文化中特有的一種喪葬方式——小兒甕棺葬。

為什麼不把小孩埋入公共墓地呢？對此，有關專家做出了自己的推測。

　　有人認為，可能按當時的部落規定，這些夭折的孩子還不能算部落的正式成員，所以死後不能像氏族成員那樣葬入公共墓地。

　　還有人認為，這是受感情和來世觀念的雙重意義所支配的。當時是母系社會，母親們不忍心割捨孩子而把孩子葬在身邊，期望孩子的靈魂能一直和親人在一起，盆或鉢中央的小孔就是靈魂歸來時的進口。這一現象深刻體現了母愛的精神。

人面魚紋盆之謎

　　覆蓋在甕棺上面的陶盆被人們稱為神秘的「人面魚紋盆」。

　　人面魚紋盆高十六點五公分，直徑三十九點八公分，由細泥紅陶製成，敞口捲邊。

　　盆內壁用黑彩繪有兩組對稱的人面魚紋。

人面魚紋盆

人面成圓形，額部塗成黑色，眼睛細而平直，鼻梁挺直，神態安詳，嘴旁分別有兩個變形魚紋，魚頭與人嘴

外廓重合，加上兩耳旁相對的兩條小魚，便構成了形象奇特的人魚合體。人頭頂的尖狀角形物可能是髮髻，身上披的袈裟配有魚鰭形的裝飾，顯得威武華麗。為什麼要用這樣的圖案來陪伴孩子的靈魂呢？

有的專家認為，人面魚紋是部落的圖騰，它既是守護神，也是祖先。善於製陶、繪畫的母親把族徽精心的畫在陶盆裡，然後把陶盆覆扣在孩子的甕棺上，是為了讓孩子不要忘了自己的氏族。

也有學者認為，這種人面魚紋不是氏族部落的圖騰，而是當時紋身黥面(一種臉部刺青，是權位、信仰的象徵)習俗的記錄；或是當時普遍流行的一種漁獵巫術儀式的表現，反映人們對豐收的期望，或是具有「生殖繁盛」的祝福意義。

然而，事實究竟如何，目前還沒有定論。

敦煌藏經洞之謎

　　西元一九○○年六月二十二日，居留於敦煌莫高窟的道士王圓籙在清理洞窟中的積沙時，無意中發現了舉世聞名的莫高窟藏經洞，並挖出了四世紀至十一世紀的佛教經卷、社會文書、刺繡、絹畫、法器等文物五萬餘件。這一發現為研究中國及中亞古代歷史、地理、宗教、經濟、政治、民族、語言、文學、藝術和科技提供了數量極其巨大、內容極為豐富的珍貴資料。後因遭到英、法、日、美、俄等國探險家的盜竊掠奪，藏經洞中絕大部分文物流散到世界各地，僅剩下少部分留存於國內。儘管如此，人們還是不禁要問，為什麼這批藏品會聚集於此呢？又是什麼原因使它們被封存起來的呢？

廢棄說

　　有人認為敦煌藏經洞中的藏品是敦煌各寺院集中在一起的廢棄物。支持這種「廢棄說」的主要代表人物是

第一個來掠取這批寶物的英國人斯坦因。他對洞中的物品進行研究，發現這些寫本和絹畫及佛教法器等都是宗教用品，但都是當時敦煌各寺院中的廢棄物。因為寺院中的物品是具有神聖性的，所以不可隨意毀棄，於是宗教人士就把這些沒多大用處的東西集中在一起保存起來。

避難説

支持「避難説」的代表是法國人伯希和，他是一位漢學家。他認為這些文物是為了避免當時的戰亂而被封存起來的。在唐代「安史之亂」期間，駐紮在敦煌的軍隊被調入內地平定叛亂，生活在青藏高原的吐蕃人乘機佔領了敦煌，唐宣宗時期，敦煌一帶的人民舉行起義，擺脫了吐蕃的控制。此後，敦煌又一度被沙州回鶻佔領。西元一〇三六年，党項族攻佔敦煌，隨後又被沙州回鶻趕走。西元一〇六八年，敦煌又被党項族建立的西夏佔領了。伯希和認為在党項族第一次攻打敦煌時，為避免兵災，當時的僧人匆忙將這些東西堆入洞中，封存了起來。所以藏經洞中的藏品沒有西夏文書，而且藏品的堆放也沒有一定的順序和分類可言。

以上這兩種說法都沒有足夠的證據，因此要想解開

敦煌藏經洞之謎，還需要學者們的進一步探究。

相關連結

王圓籙

　　王圓籙(約西元一八五〇至一九三一年)，祖籍湖北麻城。王圓籙本人出生在陝西，因家鄉連年災荒，不得已出外謀生，流落於酒泉。在此期間他入了道教，人們稱他為「王道士」。隨後，他雲遊至敦煌莫高窟，認為此地乃「西方極樂世界」，便長期居留於此。他看到這些寶貴的洞窟無人管護，一片殘破，受到嚴重的自然和人為的破壞，便自覺自願的擔當起了「守護神」的重任。他四處奔波，苦口勸募，省吃儉用，集攢錢財，用於清理洞窟中的積沙。據說，僅清理第十六窟淤積的沙子就花費了近兩年的時間。

尼雅文明之謎

　　他們是尼雅河綠洲的主人，他們創造了一段光彩奪目的歷史，他們的國家叫「精絕國」，他們就是尼雅人。然而到了三世紀以後，尼雅人突然從歷史上消失了，神秘的精絕國也從此銷聲匿跡。這一切是怎樣發生的呢？為什麼繁榮的綠洲會變成死亡的廢墟呢？

佉盧文

　　二十世紀初，英國探險家斯坦因率領一支探險隊，來到中國西部一個叫做尼雅巴扎的城市。在這裡，斯坦因注意到一個名叫伊普拉欣的當地人從北方沙漠帶回的兩塊寫有字跡的木簡。乍看之下，這是兩塊很普通的木簡，然而讓斯坦因驚訝的是，木簡上的文字竟然是一種早已消失了的古代文字——佉盧文。

　　佉盧文是西元前三世紀印度孔雀王朝阿育王時期的文字，最早在今印度西北部和巴基斯坦一帶使用。四世

紀中葉貴霜王朝滅亡，佉盧文也隨之消失了。十八世紀末，佉盧文已經成了一種無人可識的「死文字」，直至西元一八三七年才被英國學者普林謝普成功解讀。

斯坦因認為佉盧文在沙漠中出現絕不是偶然，它很可能是沙漠中一個不為人知的王國曾經存在的證明。

古精絕國

西元一九〇一年，斯坦因前往伊普拉欣發現木簡的地方進行考察。一天，他誤闖入了一處古城遺址，眼前的一切令他震驚：有在歐洲從未見過的木盾、捕鼠夾、弓箭、紅柳木筆、六弦琴、金耳飾、銅器、水晶珠飾等生活物品，還有用梵文書寫的一段段佛經、漢文木簡、官方文書等文字遺跡。後來，有人推斷這裡就是古代精絕國的遺址。

古精絕國木簡

據《漢書‧西域傳》記載，古精絕國位於崑崙山下塔克拉瑪干大沙漠南部邊緣，受漢王朝西域都護府統

轄，國王的屬下有將軍、都尉、驛長等。精絕國雖是小國，但它位於絲綢之路上的咽喉要地，地理位置十分重要。當時的精絕國是一片綠洲，三世紀以後，精絕國突然消失了，直到斯坦因發現它，才使它重見天日。

古精絕國消失之謎

考古學家解讀木簡上的佉盧文後發現，古精絕國長期受到西南方的蘇毗人的威脅與侵擾。那麼，這會不會是尼雅人放棄這片綠洲，遷徙到其他地方去的原因呢？

的確存在這種可能，但是在尼雅遺址中，沒有白骨遍野的戰爭痕跡，也沒有斷戟殘劍沉埋於沙中。所有出土的古屍都是安詳而平靜的，所有的房屋遺址也都是完整的。如果說古精絕國毀於戰爭，那麼這一切又該如何解釋呢？

也有人推測，古精絕國之所以埋沒於沙海之中，是因為尼雅人大肆砍伐樹木，破壞了當地的生態環境，致使水源枯竭，風沙肆虐，綠洲消失。因為在出土的佉盧文木簡中發現了這樣的條款：「砍伐活樹，罰馬一匹；砍伐樹杈，罰牛一頭。」這說明，古精絕國已經開始用法律的手段來保護樹木了，這是不是暗示著尼雅綠洲已

經開始惡化了呢？但是，即使是因為自然條件的惡化導致古精絕國人集體遷徙，他們也沒有理由丟下官方的文書而倉皇離開。

古精絕國和它的國民究竟是如何消失的呢？直到今天，這個謎團依舊讓人們百思不得其解。

 **相關連結**

佉盧文

佉盧文最初被稱為「巴克特里亞文」，因為現在的人們最早是在中亞的上古希臘化國家巴克特里亞的國家鑄幣上見到這種文字的。後來它又被稱為「喀布爾文」、「雅利安文」、「犍陀羅文」等。後來，一位法國學者在佛經中到了它的名字——佉盧虱底文，它的名字才最終被確定下來，簡稱「佉盧文」。它是一種音節字母文字，由兩百五十二個不同的符號表示各種輔音和元音的組合，從右向左橫向書寫。它可能是由阿拉米字母演變而來的，其原型可能在西元前五百年左右傳入波斯(今伊朗)，西元前四世紀由波斯統治者帶入北印度。不過，目前還沒有發現這種演變的確切證據。

古滇國之謎

我國西南的門戶——雲南省，自古以來就是神奇美麗的地方。各族人民在此安居樂業，創造了燦爛的文明。而這些文明的源頭，大多可以追溯到一個名叫古滇國的古國。

早在三萬多年前，昆明一帶已經有了古人類的蹤跡。他們大概在七千年前進入到農業社會，掌握了種植稻穀、縫製衣物等技能。約在三千年前，這裡相繼出現了奴隸制城市。然而關於古滇國形成的時間到現在還不得而知。

根據放射性同位素碳十四檢測，目前出土的古滇國青銅器距今最遠為兩千五百多年，相當於中原地區春秋戰國時期。由此可見，那時的古滇國已經形成很長時間了。

戰國末期，列國已被秦國攻滅殆盡。西元前三世紀時，楚軍將領莊蹻率軍避往南方，並在此處設立城池。

從此，古滇國開始融入到中華民族的大家庭中，史籍方才對其有所記載。

據《史記‧西南夷列傳》記載，大概在漢武帝時期，古滇國成為了漢朝的屬國，漢朝將其設為益州郡，賜予滇王金印。西元一九五六年十一月，雲南省博物館的考古隊從晉寧石寨山古墓群中發掘出一枚金印，印上刻著四個篆字——滇王之印。滇王之印用純金鑄成，重九十克，印面邊長二點四公分見方，通高兩公分。滇王金印的發現，證明了石寨山是滇王及其家族的墓地，也證明了《史記》等史料中有關古滇國的記載是可靠的。

古滇人的文明十分發達，他們鑄造青銅器的失蠟法，至今仍屬先進工藝，被廣泛用於精密儀器的製造。他們還修築了許多雄偉的關塞，連成一片，構成南方古長城的奇觀。然而到隋唐之後，就再也沒有任何有關古滇國的記載。

古滇國是如何消亡的？為什麼在漢代以後的歷史典籍上都找不到他們留下的任何線索？古滇國的都城到底在哪裡？誰是古滇國的主體民族？種種疑問，目前都還沒有答案。

相關連結

古滇國的都城

近年來，在撫仙湖水下發現了古城遺址，有人認為它極有可能是古滇國的都城。因為在撫仙湖南岸江川縣李家山墓葬出土了數千件古滇國青銅器，在其北岸的晉寧石寨山又出土有滇王金印。按考古常規看，古滇國的都城應該就在附近。而且，從李家山出土的大量青銅器的造型、圖案及近水居的欄杆式建築來看，這裡的環境應該是宜獵宜漁宜耕的。所以，撫仙湖的水下城很有可能是古滇國的都城。

西夏王朝之謎

　　西元一〇三八年，党項族在中國的西部建立了的一個名為「西夏」的封建王朝。西夏王朝東到黃河，西至玉門關，南界蕭關(今寧夏同心南)，北控大漠，疆域十分遼闊。西夏建國後採取聯遼抗宋的戰略，不斷的侵佔宋朝的邊境。直到西元一〇四四年，西夏對宋稱臣，才暫時停息了戰事。

　　宋仁宗時期，西夏的農業、商業、手工業逐漸發展起來，四方的物品會集到興慶(今寧夏銀川)，西夏進入了經濟最鼎盛的時期。之後，西夏的襄宗、神宗腐敗不堪，致使西夏王朝逐漸衰敗，走向滅亡。同一時間，成吉思汗建立了蒙古汗國，多次征討西夏。西夏此時執政的是獻宗李德旺，他不想做亡國之帝，便打算趁著成吉思汗西征之際，抗擊蒙古。不料機密洩露，未能成功。

　　西元一二二四年，蒙古攻克興慶。李德旺向蒙古投降，送人質，才得免滅國之禍。西元一二二五年，成吉

思汗西征得勝後又開始進攻西夏。西元一二二六年，李德旺病死，他的侄子李睍被推為皇帝。此時，成吉思汗統領十萬大軍，攻打西夏。同年六月，西夏境內發生強烈地震，屋倒房塌，瘟疫橫行。見大勢已去，李睍只得於西元一二二七年向蒙古投降。但此時成吉思汗已死，臨終前他留下遺囑：「死後暫不發喪。夏主投降時，將他與中興府內所有兵民全部殺掉。」李睍投降後，蒙古軍果然按照成吉思汗的遺囑，將其殺死，然後橫掃西夏全境，肆意燒殺搶掠。從此，西夏滅亡。

党項人去向之謎

建立西夏王朝的党項族真的隨著西夏的滅亡而消亡了嗎？如果不是，那麼他們又何去何從呢？

有人說党項人投靠了金朝，有人說他們在西夏故地留居，有人說他們來到了四川康定本雅地區，還有人說他們融入到了安徽等地。總之是說法多樣，卻沒有確切的證據加以證實。

陵塔之謎

西夏王陵位於銀川西郊的賀蘭山東麓。在方圓五十

三平方公里的陵區內，分佈著九座帝陵，兩百五十三座陪葬墓，是中國現存規模最大、地面遺址最完整的帝王陵園之一。

陵園內最高大醒目的建築是一座高二十三公尺的夯土堆，狀如窩頭，上有層層殘瓦堆砌，建於陵園西北角。

有的學者認為，這座夯土堆在未被破壞之前是一座八角五層的實心密簷塔。但為什麼要在陵園內建築這樣的「陵塔」？它有何功用？為什麼要將它建在陵園的西北角？對於這些問題，專家們仍沒有統一的意見。

王陵存世之謎

西夏王陵一帶地勢平坦，地面上有被山洪沖刷而成的縱橫交錯的溝坎。西夏王陵從建成至今已近千年，期間賀蘭山山洪暴發的次數不計其數。按說，沒有一條山洪溝的陵區必定會被洪水摧毀。然而，**事實並非如此**。賀蘭山一線，只有西夏陵區這片土地沒有受到山洪的襲擊，這種現象令專家們疑惑不解。

西夏王朝雖然已經消亡了近千年，但圍繞著它的一系列謎團卻仍未被解開。

西夏文字

西元一○三八年，西夏建國後，李元昊實行了一系列強化民族意識的措施。在他的倡導下，由大臣野利仁榮主持創製了記錄党項語言的西夏文字。就目前發現的文獻資料證實，西夏文字大約有五千九百多個。以內蒙古額濟納旗黑水城出土的西夏辭書《文海》與《音同》收字最全。同時出土的還有一部由党項族人骨勒茂才編著的《蕃漢合時掌中珠》，它是用漢文與西夏文對音、對意的方式編成的，收錄了許多党項語詞彙，成為後人解開西夏語言文字的鑰匙。

西夏王陵

婆羅浮屠之謎

在印度尼西亞爪哇日惹市西北約四十公里處的墨拉比火山的一個山丘上，坐落著一座世界上最大的佛塔——婆羅浮屠。婆羅浮屠梵文意思是「丘陵上的佛塔」。

婆羅浮屠約用兩百多萬塊石塊砌成，總計五點五萬立方公尺。其建

婆羅浮屠上的佛像

築材料全部取自附近的安山岩和玄武岩。這些石塊之間沒使用任何黏合劑，而完全靠精確切割後堆砌成塔。佛塔的基座呈四方形，邊長一百一十二公尺，臺基上由面積依次遞減的五層方臺組成；方形臺之上又由面積依次遞減的三層圓臺組成，頂端為一座巨大的鐘形佛塔。整座婆羅浮屠從地面至塔尖，高近四十公尺。其工程之浩

大，建築之壯觀，使之與中國的長城、埃及的金字塔以及柬埔寨的吳哥古跡並稱為古代東方的四大奇觀。

在各層方形臺的欄杆上，每隔一定距離都配置著一個向外的佛龕，共四百三十二個，每個佛龕內各安置一尊佛像。圓臺上則排列著石刻鏤空小佛塔，下層三十二座，中層二十四座，上層十六座，共七十二座，如眾星拱月般圍繞中心的大佛塔。大佛塔為實心體，裡面供著一尊神態安詳的石佛。小塔內也置有佛像，佛像按照不同方向取有不同的名稱，而且佛像的面部神情及動作各異。整個婆羅浮屠的佛像加起來，共有五百零五尊，所以婆羅浮屠也被稱為「千佛塔」。

婆羅浮屠不僅以大著稱於世，其精美的浮雕也令人嘆為觀止。塔的四條迴廊上有一千四百六十幅敘事浮雕和一千兩百一十二幅裝飾浮雕，如果將這些浮雕全部連接起來，長度可達三千多公尺，有「石頭上的畫卷」之美譽。浮雕的內容可謂豐富多彩，有佛陀生平聖跡，有佛教徒的事跡，也有民間傳說等眾多題材。

然而，這座輝煌壯麗的佛塔，竟被熱帶叢林的石塊和野草掩埋了八百多年。直到西元一八一四年，英國的托馬斯‧斯坦福德‧拉弗爾斯爵士才發現它。第二次世

界大戰之後，在聯合國教科文組織的援助和印尼國內各界的捐助下，印尼政府對它進行了大規模的修復工作。

如今，婆羅浮屠又以往昔莊嚴而宏偉的姿態展現在了人們面前，任何人都可以近距離的向那些佛像傾吐心聲，可以在飾滿浮雕的迴廊上流連忘返。可是，它給人的感覺依然是雲山霧罩，謎團重重。因為這座巨大佛塔的建造者沒有為它留下任何文字記載，在印尼或者印度等國的歷史典籍和佛教經典中也沒有任何關於它的資料。專家們也只能根據在現場及別處考古所尋獲的一些古代碑石等資料，對它做出一些考證和推測。

關於它的建造年代，據考古學家們從跋羅婆文寫的碑銘上看，它大約建造於爪哇的夏連特王朝統治時期，即西元七七二至八三〇年間，至於具體的時間，則無法確定。西元一〇〇六年，默拉皮火山噴發和地震後，附近的居民紛紛出逃，婆羅浮屠也被火山灰所掩沒了。

究竟是誰建造了這座佛塔，建造它的目的又是什麼，專家、學者們也只能做出種種猜測。有人認為它是為了安奉佛陀的舍利子而建造的；也有人認為它是佛教徒們朝拜的聖地；還有人認為它是帝王為弘揚佛教所做的功德。說法紛紜，卻都沒有可靠證據的支持。

還有，婆羅浮屠中幾百座佛像、上千幅浮雕究竟蘊含著什麼樣的意義，現代人也不能完全理解。因為，從人們一般對佛教故事的理解去看這些佛像、石雕，只能夠理解大約百分之二十的內容，剩下的百分之八十究竟講述著什麼樣的故事，只能留待日後慢慢破解了。

 相關連結

婆羅浮屠的最底層

　　目前遊客們能看到的婆羅浮屠有九層，但它實際上共有十層。因為在聯合國協助印尼政府對其進行大規模修復時，婆羅浮屠實際上已處於瀕危狀態。為避免倒塌，專家們便將其底層作為地基埋在了地下。現在，人們只有在東南角看到底層的一部分浮雕。

　　據說，直至西元一八八五年，裝飾底層的一百六十幅浮雕才被發現。浮雕題材依據佛經的天、人、畜生、地獄等六道輪迴，闡明了「業障」的作用，即因果的規律，將經變和世俗人物與熱帶花草和鳥獸結合起來。但是展出了一段時間後，除了東南角，其他部分又被重新掩蓋了。

死海古卷之謎

　　西元一九四七年春天，幾個牧童在死海西北岸希比特·庫姆蘭地區一個洞穴的陶罐裡，發現了三綑奇特的羊皮卷。這就是最早被發現的一批來自死海西岸的羊皮古卷，也是最古老的猶太文獻手稿。其後十年裡，人們又相繼在附近的十一個洞穴裡發現了大量的《舊約聖經》古卷和其他文獻的手抄本，種類多達六百多種，留下了八百多名古代猶太人的手跡。這些古卷大多數是在皮革、紙草、金屬片上寫成的，所以很多都已經殘破不全。

死海古卷

學者們經過考古發掘確定，大多數手稿是西元前二世紀到西元前六十八年之間，活動在庫姆蘭地區的猶太教艾賽尼派的藏書；而比庫姆蘭地區開始有人居住的年代還久遠的古卷手稿，則可能是從異地帶來的。這些浩如煙海的古卷，在近代考古史上實為罕見，被西方學術界稱為當代最重大的古文獻發現。

　　由於這批古卷的發現，歷史學家們才得以把希伯來文《聖經》的成書時間確定在西元七十年以前，對西元前四世紀至西元一三五年間的巴勒斯坦歷史也獲得了新的認識。同時，由於從中還可能找出與耶穌有關的訊息，使這批古卷在世界範圍內具有了無窮的吸引力，成為了上個世紀最具魅力的考古珍品。

　　迄今為止，公諸於世的古卷對專家和一般教徒來說，都具有重大的意義。古卷中最重要的文獻是希伯來文的《聖經》抄本，還包括對《聖經》文本的評論、艾賽尼教派的教派文獻、禱告文和讚美詩等。希伯來文《聖經》中的很多內容都與今天所用的《舊約聖經》相吻合，而且它是更為完整的全本。

　　此外，它還澄清了個別詩節中的不規則之處，與猶太學者們目前保存的《聖經》原文相比，這批古卷體現

出了非凡的準確性。

　　古卷埋入山洞之前，正是基督教產生的時期。死海古卷的發現，為研究早期基督教與後期猶太教的淵源和區別提供了珍貴的原始資料。古卷裡的不少語彙、詞句，如「新約」、「選民」、「光明之子」、「聖徒」、「彌賽亞來臨」、「火湖」等，可以在後來的《新約聖經》裡經常見到。

　　有人認為，早期基督教的組織形式與艾賽尼教派有關，死海古卷的主人就是艾賽尼教派的。但也有人不同意這一觀點。反對者堅持艾賽尼教派與死海古卷沒有關係，理由是人們在遺址中同時發現了許多玻璃碎片，和其他在西元前被認為是奢侈品的遺物，這顯然與記載中強調守貧的艾賽尼教派的作風不相吻合。

　　著名小說《達文西密碼》的作者丹‧布朗認為，死海古卷中遺留下來的福音書屬於基督教的早期文獻。但是，死海古卷中根本沒有基督教的福音書，也沒有諾斯提派福音，甚至根本就沒有提到耶穌，更沒有提到所謂的聖杯。所以大多數人認為死海古卷是猶太教的文獻，產生於基督教誕生之前，與基督教無關。基督教真正屬於自己的東西只有《新約聖經》，其他的都是從猶太教

繼承來的。

　　古卷中著名的「MMT文字」是最古老的非《聖經》古卷中的一部，其中清楚的記載了死海宗派與猶太法律的爭執，闡述了與耶路撒冷斷交前死海宗派的早期見解。作者也許就是該宗派的奠基人——那個至今不為人了解的「公正導師」。多年以前，學者們曾推測《新約聖經》中有關耶穌基督的故事可能是仿效這位「公正導師」的生平編撰的，但因缺乏合理的文字證據，這一理論就被淘汰了。而死海古卷中卻陳述了《四大福音》中的許多概念，同時充滿了對即將形成的上帝之國熾熱的企盼。因此，「MMT文字」的公佈對研究耶穌與「公正導師」之間到底有何聯繫，似乎有著難以估量的價值。

　　隨著這批珍貴文獻逐步公諸於眾，相信古卷中的重大秘密終會有水落石出的一天。

「古代世界第八奇蹟」埃勃拉之謎

　　西元一九六四年，義大利考古學家保羅・馬蒂爾博士率領羅馬大學考古隊來到敘利亞北部一望無際的大沙漠中進行考察，他們在一座名為特爾・馬爾狄赫的荒丘中，發現了一座約有三千年歷史的古城遺址——埃勃拉。埃勃拉古國驚現於世，轟動一時，甚至有人將它稱為「古代世界第八奇蹟」。

　　考古發掘工作進行了十來年，其中最有價值的是發掘出了大量刻有文字的泥版文書。現在人們知道的關於埃勃拉古國的概貌基本上都是由這些泥版文書提供的。

　　根據泥版文書提供的資料，約西元前四千年這裡已有原始先民定居。在西元前三千年，埃勃拉大約處於奴隸制初期，國王是由選舉產生的，任期為七年，可以連選連任。到西元前兩千九百年左右，埃勃拉已是西亞比較強盛的奴隸制國家之一。據估計，當時埃勃拉都城裡聚居著約三萬居民，整個埃勃拉王國鼎盛時期人口約二

十萬至三十萬，是古代西亞城邦國家中人口較多的國家之一。

　　埃勃拉古國是個等級森嚴的奴隸制國家，國王擁有至高無上的地位，獨攬全國的政治、經濟、軍事、司法和宗教等大權，他的意志高於一切，即使退位後，也繼續享受國家俸祿。王室莊園(包括農莊、牧場、種植園和各種作坊)遍佈於全國各地。神廟的僧侶和世襲的貴族們也佔有大量的土地，擁有眾多的奴隸，還享有各種特權。由於統治階級的剝削，無地或少地的貧民不得不依附於神廟或貴族，或淪為佃農，或淪為雇農，或淪為債務奴隸。在埃勃拉王國晚期，貧富懸殊巨大，社會矛盾不斷激化。有人推測，這可能是導致埃勃拉古國衰亡的重要原因之一。

　　當埃勃拉王國稱雄時，兩河流域的另一個奴隸制國家阿卡德王國也強盛起來。西元前二二九一年，阿卡德國王那拉姆·辛率領軍隊親征埃勃拉王國，並將埃勃拉城焚毀殆盡。阿卡德王國的軍隊撤退之後，埃勃拉人又重建了自己的家園，並使之逐漸恢復了昔日的繁華。由於泥版文書的歷史只記載到西元前兩千兩百年，因此後來埃勃拉毀滅的原因無從探究。

有人推測，埃勃拉的衰亡是因為外敵的入侵。因為在西元前兩千年左右，這個城市又遭到了游牧民族阿摩利人的擄掠。臨走時他們也放了一把大火，使埃勃拉城又一次被焚毀。從此，埃勃拉城日漸衰落。到西元前十五世紀中葉，強盛起來的赫梯王國入侵，繁華不再的埃勃拉城遭到第三次掠奪。對埃勃拉城來說，這是一次毀滅性的災難，整個城郭基本被毀，城中的居民也突然消失得無影無蹤了。

難道城中的居民全部死於這一次戰禍？還是他們在戰爭之後，遺棄了這座已淪為廢墟的城市，遷移到了其他地方？我們不得而知。不過，從此埃勃拉古國就淡出了歷史舞臺，在漫長的歲月中被漸漸掩蓋在了沙漠的荒丘之下。

埃勃拉古國的衰亡究竟是因為內部的紛爭還是由於強敵的侵略造成的，還是兼而有之，又或者有其他不為人知的原因，從目前人們掌握的資料來看，它還是一個無法解開的謎團。

巴格達電池

　　衆所周知，世界上第一個電池是義大利科學家伏特在西元一千八百年發明的，而擔任過伊拉克博物館館長的德國考古學家瓦利哈拉姆‧卡維尼格的一個研究結論卻把電池的發明提早了兩千多年。

　　西元一九三六年六月的一天，在伊拉克首都巴格達近郊格加特拉布阿村外，修建鐵路的工人們偶然發掘出了一座用巨大石板砌成的古代陵墓。聞訊趕來的伊拉克博物館的考古學家們鑒定後得出結論，這是一座安息時期(約西元前二五〇至西元二二五年)的古墓。墓內有一具石棺，上面刻有許多波斯文字。兩個月過去了，巨大的石棺終於被打開了，從中發現了大量的安息時期的文物。在陪葬的大量的金銀珠寶之中，考古學家們意外的發現了一些銅管、鐵棒和陶器。

　　伊拉克博物館館長卡維尼格立即組織力量，對這些銅管、鐵棒和陶器進行了研究和鑒定。不久後，卡維尼

格宣佈了一個驚人的消息：「這些出土的銅管、鐵棒和陶器是一個古代化學電池，只要向陶瓶內倒入一些酸或鹼性水，便可以發出電來。」這意味著，早在兩千多年前，古人就已經開始使用類似電池的蓄電設備了。

　　卡維尼格宣佈的消息震動了考古界，世界各國的考古學家紛紛趕到伊拉克，希望仔細研究這個古代化學電池。但是，卡維尼格和古代電池卻突然不見了。原來，卡維尼格帶著這個古代電池悄悄的返回了德國。不久，他在柏林公佈了一則更令人驚訝的消息。他說：「根據出土文物中共有可裝配十個電池的材料來分析，這些電池當時是被串聯使用的。串聯這些電池的目的，則是透過電解法將金塗在雕像或裝飾品上。」卡維尼格的發現在考古界引起一片譁然，在很長一段時間裡，他的論斷未得到考古界的認可。

　　西元一九七○年，一位德國學者艾林‧艾傑巴得希特用他的實驗支持了卡維尼格的論斷。他找到卡維尼格，並仿製巴格達電池，製作了一些銅管、鐵棒和陶器，然後取來新鮮的葡萄汁，倒入陶器中。奇蹟立即出現了，連接著電池的電壓表顯示出零點八七伏特的電壓。確定了電池的發電性能後，艾林‧艾傑巴得希特又

做了電解鍍金試驗。他將一個小雕像吊起，先抹上一層金粉水，隨後接通電池的電流，兩個多小時後，一個栩栩如生的塗金雕像便展現在他眼前了。又經過幾次類似的試驗，他終於證實了卡維尼格的論斷：古人使用的鍍金雕像正是透過這種電解法鍍金的。

除艾傑巴得希特外，美國科學家們也在模仿巴格達電池進行了一系列試驗後宣佈：巴格達附近發現的銅管、鐵棒和陶器只能被認為是用於製作化學電池的原料。

我們可能永遠也搞不清古代的電學發展到了何種程度，因為古代伊拉克的工匠們對他們的技術知識嚴加防範，秘不外傳。那麼，電鍍的秘訣肯定也是秘不外傳的寶貴財富，或許從未以簡潔易懂的方式見諸於文字。好在伊拉克還有數百個古墓未曾發掘，博物館中也有數千塊泥板，泥板上涉及科學的文字都在等著人們去解讀，結果可能會給我們帶來種種驚喜。

蘇美文明之謎

西元前四千年左右，蘇美人遷移到兩河流域，在那裡建立起了全世界最早的文明之一——蘇美文明。從考古發掘的資料來看，蘇美文明已經發展到了相當高的水平，處於人類早期城市文明的黃金時代。蘇美人不僅發明了文字，還發明了車、船等社會生活用品。另外，他們還有自己的史詩、藥典和農曆，甚至還創建了學校、圖書館和議會。

蘇美人的來源

有人認為，蘇美人是從東方山地來的。因為每個蘇美人的城市都擁有一座叫做「齊古拉特」的梯形塔。考古學家認為，這種梯形塔就是「一座山」，它表示蘇美人是從多山地區移居過來的，因為會造「山」的人不會生長在平原。而且，蘇美人的神和神廟的名稱常與山嶽有關聯。

還有一些學者根據近年來的考古發現，提出了蘇美人大約在距今八千年至六千年前來自中國黃河流域的設想。其主要理由包括：蘇美人是黃種人，而有學者認為黃種人只有唯一的發源地，那就是黃河河谷；蘇美人使用的楔形文字，與黃河流域早期的甲骨文十分相似；蘇美文明屬於農耕文明，而中國中原地區的裴李崗文化、賈湖文化表明，至少在約一萬年至八千年前，黃河流域已經出現了農耕社會。另外，蘇美城市建築的特點是：城牆是土石結構，房屋是土木結構，並且使用的是晒乾的泥磚。這種結構與白種人的巨石房屋結構有很大的區別，而與中國遠古建築及城池文化有類似之處。

蘇美文明遺址

蘇美文明的消亡

蘇美文明兼容併包，不斷向周圍擴大，發展成為後來燦爛的巴比倫文明。後來，北方的亞述文明也被納入了兩河流域文明圈。但這個古老而輝煌的文明卻最終被掩埋在了兩河流域的沙塵裡，實在令人遺憾。輝煌燦爛的蘇美文明為何會消亡呢？很多學者提出了自己的見解。

有學者認為，蘇美文明的消亡是因為外部新興文明，如希臘和伊斯蘭文明的征服和取代。在古巴比倫統一兩河流域後，蘇美文明並沒有完全消亡，它有一部分被古巴比倫人繼承下來並加以發揚。在巴比倫人和亞述人把兩河流域文明推到頂峰後，該地區被來自伊朗高原的波斯人征服。西元前三三一年，代表希臘文明的亞歷山大大帝征服了整個西亞。不久，以蘇美文明為基礎建立起來的兩河流域文明便衰亡了。

另外，有學者從生態環境的角度論證了蘇美城市被放棄的原因——過度的農業開發使土地大量鹽鹼化。這種觀點是西元一九八二年由美國著名亞述學家雅各布森提出的，他在《古代的鹽化地和灌溉農業》一書中，從環境角度論述了兩河流域南部蘇美地區灌溉農業和土地

鹽鹼化的關係。

　　而且，從蘇美城市吉爾蘇遺址發現的古代文獻中，也記載了蘇美文明從一開始就被土地鹽鹼化的問題困擾著。因為當時的農業生產主要靠灌溉，蘇美人只知道灌溉卻不知道如何解決相伴而生的土地鹽鹼化問題。惡性循環最終導致了在古巴比倫晚期(約西元前一千七百年)，以吉爾蘇為代表的大批蘇美城市被永久放棄。

　　這個古老的種族究竟起源於何處？這個燦爛的古文明又是如何消亡的？現在仍然缺乏足夠的資料來解開這些謎題。

巴比倫空中花園之謎

在古巴比倫，有一座宏偉而浪漫的建築——空中花園。光聽這個名字就不禁讓人浮想聯翩，而且關於它的來歷還有一個美麗動人的傳說。

相傳新巴比倫國王尼布甲尼撒二世(西元前六〇五年至西元前五六二年在位)娶了米底的公主阿米蒂斯為妃。阿米蒂斯是在山巒疊翠、花草叢生的北方山地中長大的，十分不習慣乾旱少雨、平坦無垠的巴比倫的氣候環境，因此懷念家鄉，常常暗自垂淚。尼布甲尼撒二世十分寵愛這個王妃，為了讓她開心，就下令在他的宮殿裡重現米底山區的景色。於是，就有了「古代世界七大建築奇蹟」之一的空中花園。

空中花園呈階梯形金字塔狀，底部是長寬各四百公尺的正方形，在其上一層疊疊一層，一階高出一階，每層高十五公尺，頂上面積約六十平方公尺，由若干層陽臺構成，花園中央還有一座金色屋頂的城樓。

據古希臘歷史和地理學家希羅多德留下的記錄，他見到的空中花園整個高度實際上達到一百一十公尺，高聳入雲。當年到巴比倫朝拜、經商或旅遊的人們在很遠的地方就可以看到在陽光下熠熠生輝的金色屋頂。

　　有關空中花園的種種傳說引起了許多建築學家的興趣，他們做出種種設想，提出了種種方案，想證明在當時這個偉大的奇蹟是有可能建成的。

　　空中花園中最令人稱奇的地方首先是它的供水系統。據記載，除了灌溉所需之水，為了隔熱防暑，還在陽臺上隔開的各個房間的窗邊安裝了噴水裝置。而巴比倫雨水不多，灌溉用水和噴水裝置所需的水，便要從幼發拉底河引上來。於是，研究人員設想空中花園至少應該有這樣的儲水、輸水設備：在花園頂部有巨大的貯水箱，而底層則由奴隸不停的推動連緊著齒輪的把手，把地下水運到最高一層的貯水箱，再經管道把水輸送給各陽臺和噴水裝置。

　　也許古巴比倫人的確是採用了這樣的儲水和輸水系統，但是，以兩千六百多年前的生產技術水準，能靠人力搖動把手就可以把水送到一百多公尺高的汲水裝置，究竟有著什麼樣的構造，研究人員們卻無法設計出來。

另外，一般的建築物要長年經受水流的侵蝕而不坍塌是不可能的，因此研究人員推測古巴比倫人採用的防水方法是：首先在壘起的石材上鋪滿蘆葦，並用天然的瀝青加固；接著用磚抹上灰漿在上面砌成雙層中空的深槽，然後再鋪上鉛板；完成這樣的基礎工程後，再往每個槽裡填入大量的土，並栽上各種花草樹木。而且有文獻指出建築所用的石塊被加入了一層鉛，以防止河水滲入地基。

　　建造空中花園還有一個難題就是它不同尋常的重量。以建築所需的石塊磚塊，再加上各層陽臺上填入的土，還有花草樹木，和頂部經常處於灌滿狀態的貯水箱來推算一下整個建築物的總重量，其結果必然是讓人吃驚的。建造如此巨大的建築物，必須運用建築學、地質學、力學、數學等高深知識才能完成設計圖。據估計，在當時簡陋的條件下，僅完成這個設計圖就需要相當長的時間。

　　因為這種種難題，許多人都懷疑空中花園存在的真實性。而且有些歷史記載雖然提到了空中花園，但認為傳說中的空中花園並不是由尼布甲尼撒二世建造的，而是一位敘利亞國王為取悅他的一個愛妃修築的。有些記

載甚至認為傳說中的空中花園，實際上指的是亞述國王辛那赫里布在其都城尼尼微修築的皇家園林。

直到十九世紀末，德國考古學家發掘出古巴比倫城的遺址，才讓人們對空中花園的研究有了新的線索。他們在發掘南宮苑時，在東北角挖掘出一個不尋常的、半埋於地下的、近似長方形的建築物，面積約一千兩百六十平方公尺。這個建築物由兩排小屋組成，每個小屋平均只有六點六平方公尺。兩排小屋由一走廊分開，對稱佈局，周圍被高而寬厚的圍牆所環繞。西邊那排的一間小屋中發現了一口開了三個水槽的水井，一個是正方形的，兩個是橢圓形的。

考古學家分析，這些小屋可能是原來的水房，那些水槽則是用來安裝壓水機的。因此，他們認為這個地方很可能就是傳說中的空中花園的遺址。而且，考古學家也的確在遺址裡發現了大量種植花木的痕跡。

不過，到目前為止，在所發現的巴比倫楔形文字的泥版文書中，還沒有找到有關空中花園確切的文獻記載。因此，傳說中的「空中花園」的真實面目依舊隱藏在歷史的迷霧之中。

巴別通天塔之謎

　　據猶太人的《聖經》記載：大洪水劫後，天上出現了第一道彩虹，上帝以彩虹為憑與人類立下約定，不再用大洪水毀滅大地。後來，諾亞的子孫在巴比倫一帶建立了國家，他們逐漸驕傲自大起來。有一天，有人對上帝的誓言產生了懷疑，認為「沒有理由要把我們的將來以及我們的子孫的前途寄託在彩虹上」，又有人附和說「我們應該做點什麼，以免洪水再發生」。於是，他們彼此商量，「要建造一座城和一座塔，塔頂通天，為要傳揚我們的名，免得我們分散在全地上」。由於大家語言相通，很容易同心協力，所以他們建成了繁華美麗的巴比倫城和直入雲霄的通天塔。然而此舉激怒了上帝，為了懲罰人類對自己誓言的懷疑，他改變並區別開了人類的語言，使他們因為語言不通而產生隔閡，再也不能齊心協力的做事。在希伯來語中，「巴別」是「變亂」的意思，於是這座塔就稱作「巴別塔」。

然而幾千年來人們一直都沒有發現巴別通天塔的遺跡，許多人因此認為它不過是神話傳說中的建築物。後來考古學家在古巴比倫遺址上發現了一個由石塊、泥磚砌成的拱形建築廢墟，廢墟中間有口正方形的大井。起初，考古學家以為這是空中花園的遺址，直到後來在附近出土了一塊記載了巴別通天塔的方位和式樣的石碑，才知道這就是巴別通天塔的塔基。

令人嘆為觀止的巴別通天塔

　　西元前十九世紀初，阿摩利人以巴比倫為都城建立了王國後，巴比倫曾繁盛一時。在漢摩拉比統治時期，巴比倫國力強盛，曾大興土木，修建了很多廟塔。漢摩拉比去世後，巴比倫經歷了大約四百年連綿不斷的戰亂，後來被亞述王國征服。直到西元前七世紀末，才再一次獲得獨立，建立了新巴比倫王國。

　　在尼布甲尼撒二世統治時期，新巴比倫王國恢復了往日的繁榮。為了顯示自己的文治武功，尼布甲尼撒下令重修巴比倫城。由於同巴比倫的神廟祭司集團關係非常密切，他下令新建或修復了許多宗教建築，其中最著名的就是馬爾杜克神廟的塔寺，即巴別通天塔。

巴別通天塔

　　現在人們所設想的巴別通天塔的規模、式樣和結構等，都是以在馬爾杜克神廟內考古發掘出來的一塊骨牌上的文字記載為基礎的。這塊骨牌上記錄了西元前四六〇年，即巴別通天塔建成一百五十年後，古希臘歷史地理學家希羅多德遊覽巴比倫城時，對已經受損的巴別通天塔的讚詞。他記載道：通天塔建在許多層巨大的高臺上，這些高臺共有八層，愈高愈小，最上面的高臺上建有馬爾杜克神廟。牆的外沿建有螺旋形的階梯，可以繞塔而上，直達塔頂。塔基每邊長約九十公尺，塔高約九十公尺。希羅多德還記述，在巴別通天塔頂上「建有一座大神廟，裡面有張精致的大睡椅，鋪陳華麗，旁邊有一張金桌子。神殿內並無偶像……神親自進入廟裡，

63

躺在睡椅上休息」。

　　由此可以想像，重建巴別通天塔的工程十分浩大，據說當年尼布甲尼撒不得不號召「全國各族人，不分南北也不論內陸或沿海地區，都要前來參加工作」。西元前三三一年，當亞歷山大大帝佔領已經荒蕪的巴比倫城時，也曾打算重建巴別通天塔。但據估計，僅是清理廢墟的磚瓦這一項就需要一萬人工作兩個月，亞歷山大這才不得不放棄了這個雄心勃勃的計畫。

用途何在

　　從目前所知的史實來看，人類為了向上帝昭示自己的力量才修建巴別通天塔，看來只是神話傳說，它應該還有其他更世俗的用途。

　　比較普遍的觀點認為，巴別通天塔是一座宗教建築，是巴比倫人獻給他們的保護神馬爾杜克的禮物。

　　而考古學家和歷史學家則認為，巴別通天塔除了奉祀聖靈以外，還有另外兩個用途：其一是尼布甲尼撒二世借助神的形象顯示他個人的榮耀和威嚴，以求永垂不朽；其二是討好僧侶集團，換取他們的支持以使政權穩定。後一個因素與當時新巴比倫王國的國情緊密相關。

當時的美索不達米亞平原是一個宗教盛行的地方，神廟林立，僧侶眾多。僧侶不僅在意識形態上影響著民眾，而且還掌握著大量土地和財富，因此他們在政治、經濟上的影響也是舉足輕重的。據歷史學家研究，在尼布甲尼撒之後，新巴比倫王國迅速衰落，就與失去僧侶集團的支持有很大關係。

西元前一世紀，希臘歷史學家又提出了新的看法，認為巴別通天塔是一個天象觀測臺。新巴比倫人信仰拜星教，神就是星體，比如，他們最崇敬的馬爾杜克就是木星。他們修建巴別通天塔，就是為了觀測天象，離神更近。當然，這種說法還是落腳於侍奉神靈的宗教意義上。

雖然許多人包括希羅多德都對此觀點不以為然，但是仔細分析一下，這種說法也不無道理。因為，人類早期的天文知識大多直接產生於宗教和巫術之中，而掌握這些知識的多是僧侶。不管新巴比倫人修建這座塔的真實目的如何，但他們取得了當時世界上最傑出的天文學成就，恐怕多少有這座塔的貢獻吧。

也有人認為，巴別通天塔的用途不僅僅局限於某一方面。比如塔的底層是祭祀用的神廟，而塔頂則可以作

為軍事瞭望的哨所。

　　它是供奉神祇的殿堂？是國王為了保護自己的王位向僧侶獻上的禮物？是天文觀測臺？抑或還具有軍事意義？我們目前還無法知曉。

相關連結

馬爾杜克

　　馬爾杜克是美索不達米亞宗教中，巴比倫的主神和巴比倫尼亞的國神。最開始馬爾杜克只是雷暴之神，傳說他制服了造成原始混亂局面的怪物提阿瑪特之後，成為了眾神之首。此外，馬爾杜克在占星上是指木星，他的聖畜是馬、狗以及一條舌分兩叉的龍，巴比倫城牆就飾有這條龍的形象。

歐洲古文明

　　神秘的亞特蘭堤斯的遺址在哪裡？是什麼原因導致了希臘神話中的米諾斯迷宮被毀？遠古超級電腦是怎麼一回事？古人建造「巨人之舞」是出於什麼目的？……發源於歐洲的古文明為我們留下了許多謎題。

亞特蘭堤斯沉沒之謎

西元前三五〇年前後，柏拉圖在《對話錄》中記錄了他的老師蘇格拉底和弟子在西元前四二一年的一次對話，對話中涉及到傳說已久的消失的大陸——大西洲，這使有關大西洲的傳說第一次有了比較詳細的文字記載。

大西洲是人們對大西洋上的一個島嶼的稱呼，因為這個島上有一個名為亞特蘭堤斯的帝國，所以這片大陸也被稱作「亞特蘭堤斯」。

柏拉圖的《對話錄》中，有關亞特蘭堤斯的故事是雅典著名政治改革家、詩人梭倫，在出國旅行時在埃及聽來的，故事的大意是說：創建亞特蘭堤斯王國的是海神波塞冬，他娶了一位人間的少女，並生了五對雙胞胎。波塞冬將大西洋上的一座島劃分為十個區，分別讓十個兒子來統治，並以長子為最高統治者。因為這個長子叫做「亞特拉斯」，因此該國被稱為「亞特蘭堤斯」王國。

亞特蘭堤斯王國曾經非常繁榮，大陸中央的衛城中有以金、銀、黃銅和象牙裝飾的神殿，海岸設有造船廠，船塢內擠滿著三段槳的軍艦，碼頭上都是來自世界各地的商船和商人，來自埃及、敘利亞等地中海國家的貢品源源不斷。傳說亞特蘭堤斯王國的十位國王都很英明，各自的國家也都很富強。不幸的是，這些國家不久以後便開始出現腐化現象。眾神之首宙斯為懲罰他們的墮落，引發地震和洪水，亞特蘭堤斯王國便在一天一夜中沒入了海底。

在柏拉圖去世後的一千多年中，人們對此爭論不休，有的人認為，這不過是一個神話，是前人對美好世界的嚮往，並不可信。有人認為，梭倫是個公認的誠實的人，而且連蘇格拉底也說這個故事好就好在是個事實。不過這些爭論都只是停留在口頭上，誰也拿不出現實的依據。直到十五世紀以後，哥倫布發現新大陸，歐洲人掀起了一股探索新領土的熱潮。傳說中的亞特蘭堤斯於是也成了世人關注的焦點，探險家和科學家們開始在全球範圍內搜尋它的遺址。

數百年來，人們把眼光從大西洋移向太平洋，又從海域轉向鄰近水系的廣闊陸地，墨西哥、北歐、北

非和澳大利亞乃至中國和印度都成了人們對亞特蘭堤斯的「懷疑對象」，先後有四十多個地點被提出來，但一致公認可能性最大的只有三個地方。

聖多里尼島

十九世紀末二十世紀初，隨著克里特島上的米諾斯文明遺址不斷被發掘出來，人們不約而同的將它們與消失的亞特蘭堤斯聯繫起來。因為該島上的克里特人在西元前兩千年左右就已經創造了輝煌的古代文明。

而且有資料證明，該島的地形和人們的生活習俗與柏拉圖筆下的亞特蘭堤斯相似。後來，該島上的一切毀於西元前一四八〇年左右的一次火山大爆發，及由火山爆發引起的強烈地震和海嘯，這與亞特蘭堤斯毀滅的原因也十分相似。

不過，如果要在克里特與亞特蘭堤斯之間畫上等號，存在著兩個無法解釋的問題。按照柏拉圖的記錄，亞特蘭堤斯存在於海格力斯支柱即現今的直布羅陀海峽之外，面積比北非和小亞細亞的總和還大，毀滅時間是在柏拉圖時代的九千多年前。這樣看來，首先在地點上，兩者並不一致；其次在面積上，兩者差距太大；最後，

在毀滅時間上，兩者也相差了八、九千年。

有些學者解釋說，現存的克里特島只是亞特蘭堤斯王國的殘餘部分。而且，也許柏拉圖的記錄有誤，將九百多年前記成了九千多年前。

亞速爾群島

大西洋的亞速爾群島一帶也是人們認為很有可能是亞特蘭堤斯的地方。一八九八年夏，在離亞速爾群島九百公里處，有一條海底電纜斷裂，搶修的工作人員在水深達三千一百公尺的海底，看到這裡具有陸地山脈的特點，其表面除谷底外沒有淤泥，岩石頂端呈鋒利的尖狀。船員們帶回了一塊岩石，這塊玄武岩石在水中一直沒能變硬，而拿到岸上後，在空氣中它卻變得堅硬起來了。

因此一位法國地質學家得出結論說：這塊石頭曾受到過大氣的壓力，因為在這個地方，過去曾與周圍地區一樣一度露出水面；顯然，之前發生的地殼激變使這裡下陷了三千多公尺。

這種結論讓人們自然而然的聯繫到了沉沒的亞特蘭堤斯。而且，島上隨處可見的牛、羊、狗和野兔等牲畜和動物，也讓人們不得不推測：亞速爾群島荒無人煙，

如果這裡沒有沉沒的陸地，怎麼會出現這麼多的牛、羊等牲畜呢？不過，這種看法有一個最大的難點，那就是至今人們還沒有在亞速爾群島上發現任何文明遺址。

巴哈馬群島

巴哈馬群島被提出來，首先是在西元一九五八年。美國學者范倫坦博士發現，巴哈馬群島的比米尼島附近的海床有許多巨大的形態各異的幾何圖形結構，還有長達好幾百公里的線條。十年後，他又在同一地區的海底發現了長達幾百公里的城牆，還有幾個碼頭和一座棧橋，顯然是沉沒了的港口舊址。這些發現已足以引起人們對亞特蘭堤斯的猜測和遐想，但要令人信服，顯然還缺乏足夠的證據。

直到今天，關於亞特蘭堤斯的種種爭論仍在繼續，可能還要一直繼續下去。

 相關連結

亞特蘭堤斯與金字塔

西元一八八二年，美國人康納利出版了一本名為

《亞特蘭堤斯》的書。書中，康納利詳細敘述了亞特蘭堤斯沉沒的原因，並認為從亞特蘭堤斯島上逃出的難民，逐漸分散到世界各地。他們在當地創造了許多的文明，而這些文明有著驚人的相似之處，那就是金字塔現象。埃及人的金字塔，瑪雅人的金字塔和柬埔寨吳哥窟中類似金字塔的建築，雖然建造的時間前後相差了幾千年，但是在建築風格上都出現了驚人的相似。康納利指出，柏拉圖在他的《對話錄》裡曾經提到，亞特蘭堤斯就有許多高大的尖錐體的建築。所以康納利認為，世界各地的金字塔都起源於亞特蘭堤斯。

愛琴文明發端之謎

古希臘文明是西方文明的起源，而愛琴海地區又是古希臘文明的發源地。愛琴文明的發現，是近代考古學上的一項重大成就。愛琴文明的發現，使希臘的歷史可以追溯到更古老的時代，也使希臘成為世界五大文明發源地之一。

今天我們所說的愛琴文明是指西元前兩千年~西元前一千兩百年間的愛琴海域的上古文明，它包含這一時期存在於地中海東部的愛琴海島、希臘半島及小亞細亞西部的歐洲青銅時代的文明。愛琴文明有兩大中心，一是克里特島，二是伯羅奔尼撒半島東岸的邁錫尼。克里特文明又稱「米諾斯文明」，是以古希臘神話中的克里特王米諾斯來命名的。邁錫尼文明則是以邁錫尼這個國家來命名的。兩種文明相互承繼，構成了燦爛的愛琴文明。

愛琴文明終結後，希臘人又經歷了三百年的黑暗時代，才重新建立起自己的國家。所以，愛琴文明中那些

激動人心的故事都已經模糊成了神話和傳說，人們並不相信，歷史上真的存在過那樣一個輝煌的時代。

直到十九世紀，德國學者謝里曼根據《荷馬史詩》中的相關記載，先後對小亞細亞西部的特洛伊、南希臘的邁錫尼和太林斯等地進行考古發掘，遠古的遺跡才驚現於世。西元一九〇〇年，英國考古學者伊文思在克里特島北部的諾薩斯又發現了米諾斯王宮的遺址。後來，一些學者在希臘半島、愛琴海島嶼和小亞細亞等地也進行了富有成果的發掘，進一步豐富了愛琴文明的內容，終於使得湮沒數千年的愛琴文明重為世人所知。

愛琴海風景

考古證實，愛琴海區域自舊石器時代就有人類居住，南希臘亞哥里斯地區有約西元前七千年的中石器時代遺址。愛琴地區有不少以 nth 結尾的地名，如希臘半島的科林斯、克里特島的克諾索斯和小亞細亞西岸的哈利卡納蘇斯等。從語言學來說，這種詞尾非希臘語所有，從而說明愛琴海區域的原先居民不是希臘人。後來希臘作家稱這些非希臘語的居民為卡里亞人、勒勒吉人和皮拉斯基人；學者們稱之為「地中海民族」，認為他們與小亞細亞半島的居民有較多的關係。根據這些殘留的歷史和人類學訊息，有些專家認為愛琴文明的最早起源是由西亞透過小亞細亞半島從海陸兩方面傳來的。

在米諾斯文明時期，西亞的金屬冶煉技術已相當發達，手工業和農業也已分工。而愛琴海地區的早期青銅時代實際上為銅石並用時代，銅器並不多，但克里特島出土的青銅雙面斧、短劍、長劍以及金質和銀質的碗等工藝品都具備了很高的成就。另外，克里特島的農業在這一時期也得到了很大發展，農作物品種很多，有大麥、小麥和豆類等；還出現了葡萄、橄欖等園藝作物，生產中還使用了犁。所以，愛琴文明即使不是起源於西亞，至少也深受西亞的影響。

西元前三千年後，一批屬於印歐語系的說希臘語的人從多瑙河流域來到馬其頓等地，其中一部分分批進入中、南希臘，與當地居民混合而成為希臘人。西元前兩千五百年左右，來自北非的移民遷至南克里特，與當地居民相混合，並從埃及輸入了藍釉陶珠、彩瓶、象牙和裝飾品等。雖然米諾斯文明與西亞和埃及的文明淵源頗深，但克里特文化從一開始就不是對外來文化的複製和模仿，而是加以吸收改造，逐步形成了自己的風格。所以說愛琴文明起源於西亞似乎也不完全正確。

另外，有關消失的大陸「亞特蘭堤斯」就是愛琴海上的克里特島的說法，使亞特蘭堤斯又成了愛琴文明新的起源。但是，這種說法顯然要等到亞特蘭堤斯被證實確實存在並且就在克里特島之後才能得到肯定。

米諾斯迷宮毀滅之謎

在希臘神話中，有一所著名的宮殿，那是智慧的克里特島國王米諾斯關押牛首人身的怪物陶洛斯的地方——米諾斯迷宮，它是由雅典著名的建築師代達羅斯負責修建的。

西元一九〇〇年三月，這個神話中的迷宮驚現於世，雖然它只剩下殘缺斷裂的廢墟，卻依然可見當年的恢弘與華麗。 這座宮殿究竟是由於什麼原因而被廢棄的呢？歷史學家們提出了種種論斷。

自然災害說

很多歷史學家相信，米諾斯迷宮的毀滅，是由於一場人力所不可抗拒的自然災害。有學者認為，這場大劫難是一次強烈的地震，地震使宮殿被毀壞殆盡，所以克諾索斯人最終放棄了重建。

西元一九六六年，一批美國海洋地理學家在愛琴海

地區進行科學考察時，發現有一層很厚的火山熔岩沉積在該區的海底。

經過研究，科學家們認為那是西元前一千五百年左右，克里特島以北的桑托林火山大噴發時留下的。他們驚訝的發現，那是人類歷史上最猛烈的一次火山噴發。

西元一九六七年，美國考古學家在島上六十多公尺厚的火山灰下挖出了一座古代商業城市的廢墟。這讓他們更加堅定的認為，克里特島迷宮是毀於一場可怕的火山噴發。

外族入侵說

不過，另一些研究者對自然災害說表示否定，他們認為王宮是遭到戰爭浩劫而毀壞的。這些研究者認為，可能是希臘半島上的邁錫尼人入侵，導致了克里特島迷宮的被毀。

米諾斯的傳說和克里特島迷宮提供的證據顯示，克里特人確實綁架或拐走希臘青年男女去做奴隸、鬥牛士、競技者或祭品。

種種侵略和奴役可能最終導致了希臘人的反抗，而克里特人對希臘人的力量估計不足，致使希臘人劫掠了

克里特島，迷宮也被毀壞。

出土文物有力的支撐了這種觀點。在克里特島的迷宮裡發現了新的線形文字檔案，史學家將其稱為「線形文字 B」，而把此前克里特人創造的線形文字稱為「線形文字 A」。自西元一九三九年以來，在希臘本土的派羅斯、邁錫尼、泰倫斯都先後發現了許多刻有線形文字 B 的泥板，從而證明了線形文字 B 是希臘本土的一種語言文字，這無疑為希臘人入侵克里特島的推論提供了有力的佐證。

邁錫尼文明消亡之謎

　　邁錫尼文明是希臘本土較為發達的青銅文明的通稱，因邁錫尼在那一時期是最強大並具主導作用的國家，所以史學上一般稱其為邁錫尼文明。它是在米諾斯文明的影響下建立起來的。

　　和米諾斯文明一樣，邁錫尼文明由神話傳說變為現實，也是考古發掘的功勞。西元一八七三年，一位執著於《荷馬史詩》的德國人海因里希・謝里曼，在傳說中的特洛伊的遺址上發現了一批寶藏，那些埋藏了幾千年仍然金光閃耀的王冠、黃金飾品等證實了特洛伊城的存在。之後，謝里曼又轉向了對伯羅奔尼撒半島上邁錫尼遺址的發掘。西元一八七六年，他挖出了大量花瓶、石碑等，接著又陸續發掘出了一座座王陵、一具具古代帝王的屍體及豐富的金銀飾物。邁錫尼文明及其歷史地位終於得到了肯定。

　　從已經發掘的資料看，邁錫尼城內建有豪華的王

宮，平坦地帶則是廣闊的市區，平民和百業工匠居住其間，其繁榮富庶的程度不下於克里特的克諾索斯。邁錫尼雖然不像米諾斯文明那樣倚重海外貿易，但其發達程度有過之無不及。埃及、敘利亞、腓尼基、塞浦路斯以及義大利南部、利巴拉群島等地都有邁錫尼陶器出土，數量皆超過各地曾發現的克里特陶器。

在邁錫尼遺址中找到的金銀飾物

邁錫尼文明可分為早、中、晚三個階段。早期稱豎井穴墓王朝時期，開始於約西元前一千六百年，因其遺跡主要是謝里曼在邁錫尼城堡內發現的王族豎井穴墓得名。墓中的陪葬品在形式風格上帶有明顯的米諾斯文明的印跡。中期和晚期稱圓頂墓王朝時期，大約在西元前一千五百年，這時王族墓已演變為規模宏偉的圓頂墓。這一時期是邁錫尼文明的成熟與繁盛期，在冶金、手工業製造、海外貿易等方面都超過了之前的米諾斯文明。

邁錫尼文明雖然繼承了米諾斯文明的傳統，但它也有自己的特點——更著重於陸戰，廣泛養馬，盛行馬車戰術；城堡、宮室皆有牢固防衛，建築上繼承了巨石建築的傳統，城牆宏偉。

　　邁錫尼的圓頂墓，雖然可能對克里特的有所效仿，但規模卻要大得多。最大的圓頂墓阿特柔斯王墓，內高十三點二公尺，墓門高十公尺，門內過道以一塊重達一百二十噸的巨石為蓋，可見其工程的浩大。此外，邁錫尼城牆、阿伽門農王宮等建築，都是邁錫尼建築藝術的傑出代表。邁錫尼城牆以巨石環山建成，厚五公尺，高八公尺，大門上有雙獅拱衛一柱石刻，被稱作「獅門」；梯林斯城牆最厚處竟達十七公尺，平均厚七點五公尺。

　　邁錫尼文明的成就還反映在題材廣泛的壁畫、技藝高超的工藝品等藝術形式上。西元前一千兩百年左右，邁錫尼文明由極盛走向衰落，進入了它的末期。

　　考古研究發現，當時曾頻繁的修築城堡，可能是為了防禦外敵的侵擾；古希臘的神話傳說又曾提及此時王朝更迭頻繁，政局不穩，可見當時的邁錫尼已是內憂外患不斷。加上與邁錫尼貿易交流頻繁的埃及、赫梯等國家也都在逐步走向衰落，使邁錫尼的對外貿易受到影

響，經濟也逐漸衰敗。有考古資料顯示，當時的陶器質量下降，生產萎縮。經濟上的衰敗必然導致武力掠奪。希臘本土各城邦之間的戰爭不可避免，越演越烈。約在西元前十二世紀初，發生了著名的特洛伊戰爭。有人說特洛伊戰爭是邁錫尼文明走向衰亡的直接原因。戰爭結束後，邁錫尼國王阿伽門農回到國內，卻被其妻子和她的情夫謀害，由此導致王族的動亂，邁錫尼文明從此走向衰落。但歷史上的國王被害事件比比皆是，卻沒有一次足以引起整個文明的潰敗，所以這種說法顯然很牽強。

有人依據《荷馬史詩》中的另外一些線索推測，在特洛伊戰爭之前，希臘北方的游牧部落就從北部和西北部進入邁錫尼。他們認為，正是這些部落尤其是多利亞人的南下入侵，導致了邁錫尼文明的毀滅。與這種看法相反，也有人認為，多利亞人南下並非邁錫尼文明衰落的元兇。在西北方的入侵者來到之前，邁錫尼文明已經衰落。其原因可能是連年的內戰或天災，很可能那時發生了連年的乾旱，造成莊稼歉收，食物短缺，大饑荒使人口減少，大量村莊被棄。

不管邁錫尼文明衰亡的真正原因是什麼，它已經在歷史上留下輝煌的一頁，讓後人為之驚嘆不已。

遠古超級電腦之謎

西元一九〇〇年，一名叫艾利亞斯‧斯塔迪亞托斯的希臘潛水夫，在安蒂基西拉島附近的海底打撈一艘沉沒的古代貨船的殘骸時，在大量的珠寶、陶器、葡萄酒和青銅器中，發現了一個奇怪而複雜的青銅機械裝置。它很顯然是一個複雜機械的殘骸，於是以發現之地被命名為「安蒂基西拉機器」。

安蒂基西拉機器由手工製成，做工精細，儀器由銅質齒輪和刻度盤組成，二十九個齒輪彼此咬合。

研究人員分析後認為，儀器製成於西元前一百五十年至西元前一百年，於西元前六十五年左右隨船沉入四十二公尺深的水中。

美國耶魯大學歷史學家德雷克‧德索拉‧普里斯從二十世紀七〇年代開始對安蒂基西拉機器進行研究。他認為，安蒂基西拉機器原有三十一個齒輪，把陽曆和歷時十九年的默冬周結合在一起。默冬周包括兩百三十五

個朔望月，經過一個默冬周後，月相開始重現於陽曆的同一個日子。

研究發現，安蒂基西拉機器不僅能提供巴比倫人所熟知的默冬周，還能給出陽曆和陰曆統一的卡利巴斯週期，以及推測日食、月食和沙羅週期。由於日食、月食被古人認為是一種預兆，因此研究人員推測，計算沙羅週期可能與舉行宗教活動有關。

最近，一個英國和希臘聯合研究小組透過三維X光技術，終於發現了一段描述該機器的希臘銘文，這一段失傳了兩千年的銘文中提到了該機器。

研究人員相信，安蒂基西拉機器可能是世界上最古老的電腦，古代希臘人正是用它來預測太陽系各大行星的運行規律的。

研究人員考察了現存的考古資料，發現安蒂基西拉機器先進的計算能力和技術含量在它製成後的千餘年內都沒有其他機器可以與之相媲美。研究人員還稱，他們懷疑安蒂基西拉機器採用的是「日心說」理論——這一理論要到一千四百年後的歐洲文藝復興時期才被天文學家們廣為接受！如果他們從銘文中找到了安蒂基西拉機器是建立在「日心說」理論上的證據，那麼古代天文史

也將被改寫。

　　對於這臺機器出自何人之手，研究人員還沒有定論。他們認為，古希臘天文學家、數學家喜帕恰斯可能參與了機器的製作過程。研究人員說，齒輪的齒數決定著儀器的功能。這臺儀器中，某些齒輪有五十三個齒，這與人們所知的喜帕恰斯月球理論模型存在聯繫。同時，機器描述的月球運行方式也與喜帕恰斯的推測相吻合。

　　希望銘文能提供更多的訊息，使人們能夠早日解開這臺遠古超級電腦的所有謎團。

神秘的伊特拉斯坎人

　　西元一八二九年的某一天，在羅馬市西北八十公里處一個名叫烏爾齊的地方，一個農夫在地裡耕作時突然發現他的牛不見了，然後他吃驚的發現牛掉進了田間的一個洞中。事情傳開後，有關專家來到此地考察，發現這個洞竟然是一個古代人的墳墓，墓裡有各種各樣精緻的隨葬品，包括陶器、青銅器以及各種各樣的雕像等物品。此後，在其他地區也陸續發現了類似的墓葬。專家們驚喜的得出結論：在義大利曾經存在著一個與古埃及、古希臘文明相比毫不遜色的古文明，這就是伊特拉斯坎人創造的文明。

伊特拉斯坎人的文明

　　伊特拉斯坎民族是個極富傳奇色彩的民族，西元前八世紀活躍在亞平寧山脈以西、第伯河以北的廣大地區。伊特拉斯坎是羅馬人對他們的稱呼，希臘人稱他們

為第勒尼安人，他們則自稱為羅森那人。

西元前八世紀中葉，伊特拉斯坎人經歷了最初的維朗諾瓦文明的發展階段，開始步入繁榮昌盛時期。據文獻記載，他們在義大利半島靠第勒尼安海的西側，自北部到中部，一共建立了十二座城市，號稱「伊特拉斯坎帝國」。但考古發現了十七座城市，有些城市築有石砌的城牆，城牆上還建有防禦工事，而當時義大利其他各民族還居住在落後的農業村落裡。

伊特拉斯坎人的貿易非常發達，他們透過陸路和海路，與希臘和西亞、北非的一些國家建立聯繫，進行海外貿易，並很快發展起來。

到西元前六世紀時，伊特拉斯坎人的社會繁榮達到了頂峰。他們以義大利北部的托斯卡尼為中心，向北佔領波河流域，向東越過亞平寧山脈，到達亞得里亞海，向南則進入拉丁姆和坎佩尼亞，並在這裡建立了一些殖民地。在向半島中部和西部擴張的過程中，他們不僅曾征服了古羅馬城，而且佔據了北非的迦太基人統治的科西嘉島。

伊特拉斯坎人將他們的文明和生活方式帶到了他們所到之處，對當地產生了深遠的影響。以羅馬為例，在

羅馬歷史上的「伊特拉斯坎王朝」時期，伊特拉斯坎人在羅馬修建神廟，鋪設水管，築城牆，建廣場，發展工商業，使羅馬由一個質樸的鄉村變成了一個繁華的都市。這一點可以從考古發現上找到證據：在這一時期之前，考古發掘出來的古羅馬遺跡都很簡陋，但在西元前六世紀中葉之後的羅馬遺跡中，不僅發現了巨大的屋基和許多彩陶碎片，還有工程浩大的地下排水系統的殘跡。古羅馬人以超凡卓絕的建築工程著稱於世，應該也是受到了伊特拉斯坎人的影響。在生活方式上，後人所熟悉的古羅馬人的凱旋儀式，角鬥士表演，古羅馬貴族所穿的帶著紫色鑲邊的白色長袍，跟隨在高級長官身後的扈從儀仗，等等，都有深深的伊特拉斯坎文化的烙印。

盛極而衰

西元前五〇九年，伊特拉斯坎王朝對古羅馬的統治宣告終結。

西元前五世紀前半期，伊特拉斯坎人不斷喪城失地，古羅馬人乘機擺脫了他們的統治。

西元前四世紀，居住在多瑙河上游的克爾特人大舉入侵義大利北部，伊特拉斯坎人的疆域更加縮小。不

久，勢力逐漸強大的古羅馬反過來征服了伊特拉斯坎人。強盛一時的伊特拉斯坎人從此銷聲匿跡，他們的文明也漸漸湮滅無聞。

來源之謎

這樣一個具有高度文明的民族究竟來自哪裡呢？因為他們的藝術帶有奇異的東方色彩，他們的語言也和義大利語、希臘語有很大的不同。所以關於他們的來源，至今仍有種種不同的說法。

「史學之父」希羅多德說他們是佩拉斯吉人的後裔，來自小亞細亞平原地帶的利底亞。其祖先為了逃避一場滅頂的大饑荒，在國王阿提司的兒子第勒尼努斯的帶領下背井離鄉，歷盡辛苦後由地中海來到義大利半島西岸。他們以較高的文化征服了當地居民，在這裡定居下來。由於他們的首領叫第勒尼努斯，所以希臘人稱他們為「第勒尼安人」，稱由他們控制的半島西北部的水域為「第勒尼安海」，這個名稱沿用至今。這種說法曾長期流行，但至今也沒有足夠的證據來證實它。

一世紀時的史學家狄奧尼修斯提出了另一種觀點，他認為伊特拉斯坎人是義大利半島上最早的土著居民。

「第勒尼安人」的稱呼並非源於他們首領的名字，而是來源於他們建造的一種名叫「第勒塞斯」的獨特的建築，這種建築是一種帶有圍牆和頂棚的堡壘。

十九世紀初，關於伊特拉斯坎人的來源又有了新的說法。雖然也是「移民說」，但這種說法認為伊特拉斯坎人是一支來自中歐地區的民族，他們越過阿爾卑斯山來到了義大利。

這些說法各執一詞，但都缺乏確切的證據。

羅馬帝國滅亡之謎

羅馬帝國曾經盛極一時，透過執政者的東征西討，它不斷擴張，成為橫跨歐、亞、非三洲的龐大帝國。著名的歷史學家愛德華‧吉本將羅馬帝國的鼎盛時期稱為「人類最幸福的時代」。

大瘟疫說

西元五四一至五九一年間，羅馬帝國曾發生過四次可怕的瘟疫。《聖徒傳》的作者兼歷史學家約翰見證了第一次瘟疫，而教會歷史學家伊瓦格瑞爾斯則親身經歷了這四次瘟疫。這兩位歷史學家對當時的恐怖情況是這樣記載的：第一次瘟疫導致羅馬帝國的人口減少了三分之一，首都君士坦丁堡有一半以上的居民死亡。死亡的陰影籠罩著整個國家，到處是一片垂死的哀號。

約翰就自己記錄這一事件的意圖，說：「用我們的筆，讓我們的後人知道，這只是上帝懲罰我們的數不勝

數的事件當中的一小部分，這總不會錯。」

　　伊瓦格瑞爾斯則更詳細的記述道：「在有些人身上，它是從頭部開始的，眼睛充血，面部腫脹，繼而是咽喉不適，再然後，這些人就永遠的從人群當中消失了。有些人的內臟流了出來。有些人身患腹股溝腺炎，膿水四溢，並且由此引發了高燒。這些人會在兩三天內死去。」

　　羅馬帝國真的是滅亡於瘟疫嗎？這裡所說的瘟疫就是瘧疾，據史料記載，這是一種非常古老的疾病，史前人類就曾多次遭受瘧疾的襲擊。就是現在，每年也有三~五億人由於瘧疾而致病。在非洲、印度、東南亞以及南美，每年有數百萬人死於瘧疾。

　　生物學家從一次 DNA 分析中得出了一種結論，認為正是六世紀瘧疾致命性的暴發導致了羅馬帝國的崩潰。這次 DNA 分析的對象是考古學家發現的一具葬於一千五百多年前的古羅馬小孩的屍骨。這具屍骨的DNA顯示，他受到了能誘發瘧疾的寄生蟲的感染。

　　這次 DNA 分析是在曼徹斯特大學的生物分子科學系進行的。該院的薩拉利斯博士斷定，這個古羅馬小孩是死於瘧疾。該系主任布朗教授指出，中世紀瘧疾發生

的案例都是透過基因分析得出的，但將基因分析運用到古羅馬後期還是第一次。至此，人類歷史上第一次有了基因證據，表明古羅馬文明可能是因為遭到瘧疾的襲擊而毀滅的。

中毒說

還有歷史學家認為，羅馬帝國亡於鉛污染。

在古羅馬人的生活中，鉛似乎佔有很重要的地位。他們喜歡用鉛製的器皿儲存糖漿和酒；人們製作葡萄醬時還要加進鉛丹。總之，鉛似乎存在於他們日常生活的各方面。久而久之，便發生了普遍的鉛中毒，尤其是那些用鉛較多的貴族。鉛中毒能引起死胎、流產和不孕，即使生下的嬰兒存活了，也往往是低能兒。如此一來，羅馬帝國怎能不衰亡呢？

後來，考古學家的發現，證明了歷史學家的論斷是有一定科學道理的。他們在發掘古羅馬貴族、王公的墓葬時發現，這些沉睡千年的屍骨上常有一些十分奇怪的黑斑。經分析，原來這是沉積於骨骼中的鉛與屍體腐爛時產生的硫化氫化合生成的硫化鉛黑斑。

古羅馬城鎮遺址

　　雖然我們不能否認，以上兩種說法都是有一定的道理，但是究竟是什麼緣故導致羅馬帝國消亡的，我們還無從知曉，這仍是個未解之謎。

被掩埋千年的龐貝城

　　西元七十九年八月，古羅馬的維蘇威火山不斷冒出股股白煙，出現火山爆發的前兆。但是附近龐貝城的居民們卻照常工作、生活，不以為意。維蘇威火山海拔一千兩百七十七公尺，據地質學家們考證，它是一座典型的活火山，數千年來它一直在不斷噴發，龐貝城就是建築在遠古時期維蘇威火山一次爆發後變硬的熔岩基礎上的。可是，此前著名的地理學家斯特拉波根據維蘇威火山的地形地貌特徵斷定它是一座死火山，當時的人們完全相信他這個論證，所以龐貝城的居民們才有了那樣一副滿不在乎的態度。然而這一次，維蘇威火山沒有像以前一樣活躍一陣子就安靜下來，八月二十四日，它終於爆發了。火山噴出的灼熱岩漿無情的吞滅了龐貝城，到處是一片慘叫聲，火山灰遮天蔽日，龐貝城的歷史在那一刻戛然而止。

　　在此後的幾個世紀裡，維蘇威火山又多次爆發。火

山灰和熔岩的層層覆蓋，使地下的龐貝城越埋越深，人們從地面上再也見不到它的一點蹤跡了。千百年來，人們只是從古籍史冊中和民間傳說中才知道這座古城的存在，但它究竟在哪裡，曾經有過怎樣的輝煌，卻始終是不解之謎。

重現千年古城

也許這座繁華的古羅馬城市注定不會被人們遺忘，所以，在一千六百多年後，一個偶然的契機讓它重新出現在了人們面前。

西元一七〇九年，一群工匠在離那不勒斯不遠處打造一口水井時，挖出了不少精心雕刻過的大理石塊。地下有寶貝的消息很快傳開，越來越多的人前來這裡挖掘。不久，有人挖出一塊刻有「龐貝」字樣的石頭。人們這才知道，原來這裡就是被維蘇威火山爆發的熔漿掩埋了的龐貝城。

目前出土的龐貝城東西長一千兩百公尺，南北寬七百公尺，城內面積一點八平方公里，據說這只是整座城市的三分之一大小，其餘部分還埋在地下。城內有四條大街，呈「井」字形縱橫交錯。主街寬七公尺，由石板

鋪成，沿街有排水溝。城內最宏偉的建築物，都集中在西南部一個長方形的公共廣場四周，廣場周圍設有神廟、公共市場、市政中心大會堂等建築物，這裡是龐貝政治、經濟和宗教的中心。廣場的東南方，是龐貝城官府的所在地，廣場的東北方則是繁華的集貿市場。另外，城內還有公共浴池、體育館和大小兩座劇場，街市東邊則有可容納一萬多名觀眾的圓形競技場。

由於火山塵礫的保護，龐貝城當年的城郭結構、建築裝飾乃至居民的生活用品得以保留原狀，甚至繪畫顏色仍然鮮豔如初。這座在驟然之間被外力「凝固」的城市，恰如一座天然的歷史博物館，活生生的向人們展示出西元七十九年八月二十四日這一天龐貝古城的景象。這是一幕人間地獄的慘狀，無數灰礫下的屍體被灼熱的火山灰裹住，凝固後形成一層硬殼。後來遺骸腐爛消失，經過千年的掩埋，只剩下人形的殼子，恐怖至極。

死因之謎

龐貝城的大多數居民雖然及時逃離了，但仍有兩千多人隨同城市被埋葬。現代學者對火山爆發後的古代龐貝人之死持有兩種觀點。

一種說法認為他們是被毒氣熏死的。地質學家的研究表明，火山噴發時，空氣中會充斥著岩漿和火山灰中所含的大量硫、磷等有毒元素。維蘇威火山海拔高於龐貝城，火山噴發後，龐貝城上空的空氣成為「毒氣」，可能就是這種「毒氣」致使龐貝城的居民中毒身亡。這種說法可以從考古學家挖掘出的龐貝市民遺體殘骸得到認可，因為這些遺骸大多處於痛苦掙扎的可怕姿勢，所以有理由相信，龐貝人是在毒氣的作用之下，逐漸失去知覺死亡的。

另一種說法認為他們是因粉塵窒息而死的。近年來，法國的兩位考古學家驚奇的發現，龐貝的地層呈現出多層顏色不同的「地帶」，在不同的「地帶」，其土壤的成分亦不相同。經過進一步實地挖掘與化學分析，較為靠下的「地帶」中有僅屬於岩漿和火山灰中所特有的粉塵物質。這些物質有可能就是殺死龐貝市民的真正「兇手」。換句話說，可能居民們是死於粉塵導致的呼吸不暢。

火山附近的另一座城市——赫庫蘭尼姆城的居民似乎比較幸運。經考古發掘，這裡出土了大量的工具、器物、雕塑和繪畫作品等遺物，但幾乎沒有見到人的屍

骨。長期以來，許多歷史學家認為赫庫蘭尼姆城的居民都及時安全逃脫了，到別的地方定居下來。但一位名叫朱澤普·馬志的義大利考古學家卻提出異議。他認為，按常理推測，赫庫蘭尼姆離海近，火山爆發時，居民會湧向海邊求得一條生路；而且火山爆發中泥石流一定會把海岸線向前推進了不少，如果能找到原來的海岸線和港灣，就可以解開許多謎團。後來，他們終於發現了舊的海岸線，並且在距目前海岸線四百公尺的地方發現了舊港灣。果然不出馬志所料，赫庫蘭尼姆城的居民並沒有全數逃脫，火山爆發引起的海嘯切斷了他們的生路，許多居民葬身於海邊。

經過考古學家們兩百多年的努力，被掩埋千年的龐貝城和赫庫蘭尼姆城得以重見天日，展示其昔日的風采，這對這兩座古城、對後人來說，都不能不說是一種幸運。因為其他很多古文明的遺跡還被掩埋在不為人知的地方，等待著人們去尋找，去發現，去解開一個又一個的謎題。

維蘇威火山

維蘇威火山位於義大利坎帕尼亞平原的那不勒斯灣畔，它地處歐亞板塊、印度洋板塊和非洲板塊的交界處，是兩萬五千年前在各板塊的漂移和相互撞擊、擠壓下形成的。當時的歐洲處於冰河時期，氣候乾冷、土地貧瘠、林木稀少，只有大片耐寒草原。隨著氣候的變暖，加上這裡肥沃的火山灰，使得維蘇威火山周邊成了植被茂密的富庶之地。維蘇威火山曾一度休眠，被人們認為是一座死火山。不過，它在歷史上噴發過很多次，最近的一次噴發是在西元一九四四年。西元一九八〇年，測得它的高度為海拔一千兩百八十一公尺，但每次大噴發後，它的高度都會有很大的變化。

神奇的「巨人之舞」

　　在距倫敦兩百零九公里的歷史名城索爾茲伯里附近的平原上，佇立著一塊塊長方形的巨石，它們大小不一，卻又排列有序。中世紀的人們普遍認為是傳說中的巨人建造了這群神奇的石頭，因此稱它們為「巨人之舞」。這就是眾多巨石建築群中最有名的斯通亨奇(stonehenge)巨石陣，stonehenge 翻譯成中文就是「懸浮的石頭」。

　　考古研究表明，巨石陣的修建是分幾個階段進行的。第一階段大約在西元前三千一百年左右開始，形成了巨石陣的雛形。在西元前兩千一百年~西元前一千九百年年間，人們修建了通往石柱群中央部位的道路，且建成了規模龐大的巨石陣。其後的五百年間，人們不厭其煩的多次重新排列這些巨石的位置，形成了今天大致能看出的格局。今天我們所看到的巨石陣，是由三十多塊直立的巨石組成的。眾多巨石形成一個直徑約三十公尺的圓形，石柱上端架著厚重的石楣，每個石楣緊密相

連，也構成圓圈，形成奇特的柱頂盤。石環外側土牆的東部有一個巨大的石拱門，整個結構呈現馬蹄形狀。石環內還有五座門狀石塔，兩柱一楣，高約七公尺，呈向心形排列。整個環形石柱群還被直徑達一百二十公尺的土牆所圍繞著。整個巨石陣呈現出高超的建築技巧。

巨石群中的石塊都是平均重達二十五噸左右的青色砂崗岩，有的甚至重達五十噸。它們有的取自索爾茲伯里平原，有的竟取自兩百公里以外的地方。古人修建這個宏偉而神秘的巨石群究竟有什麼目的呢？

神奇的巨石陣

有人說它是古人為了對天地表示崇敬而建的祭壇或神廟，也有人說它是重要的宗教集會場所，還有人懷疑它是外星人在地球上活動的遺跡。這些說法要麼缺乏確切的證據，要麼純粹是毫無根據的假想，並沒有得到大家的認可。目前，得到較多認同的主要是以下兩種觀點。

狩獵裝置

因為巨石陣的全部建築時間都處於新石器時代，因此，有學者認為巨石陣是原始人用來狩獵的特殊裝置。

專家推測，巨石陣是獵取大型野獸的狩獵裝置。他們認為，由於當時的工具和武器都很落後，人們為了獵取較大的野獸，如猛瑪、熊、犀牛等，同時避免自己受傷，於是就建造了這個裝置。專家們認為，今天人們看到的只是巨石陣的殘跡，當初它一定還配有一些由木頭、骨頭和獸皮等製作的裝置，但由於年代久遠，這些裝置早已不復存在了。復原後的結構可能是這樣的：巨石陣圍成一個院落，兩根石柱之間是進出口，進出口的大小比猛獸的體形要大，在洞口正上方有用木棍撐起的大石塊之類的裝置，作為捕獵猛獸並向人發出警告的機關。

不過，如果只是一個狩獵裝置，似乎不用建造得如此精巧。而且，建造如此浩大的工程，並不比狩獵本身更輕鬆，古代人為何要如此大費周章呢？

天文儀器

西元一九六五年，波士頓大學天文學教授霍金斯發

現了一個有趣的現象：巨石陣中許多大小不等的石頭互相聯結形成的直線，在夏至、冬至或別的節氣到來的時候，會分別指向太陽和月亮升起或降落的方向。此外，當陽光或月光穿過由石柱構成的一扇扇「石門」時，就標誌著曆法上的某個時刻的到來。霍金斯還利用電腦進行計算、測定，結果表明，巨石的排列方式可能與太陽和月亮在天空運行的位置有關。由此，霍金斯認為，巨石陣是古人用來確定節氣的天文儀器。

當時這個提法的確引起了人們極大的震撼與非議，幾乎所有的考古學家都認為，巨石陣很可能從未被用作天文臺，只是作為史前宗教儀式的一個組成部分，建造巨石陣的人們可能從那兒觀測過太陽。不過，目前這種說法卻得到了越來越多的人的認同。

「巨人之舞」雖然古老而神奇，卻又平易可親，它總是敞開懷抱接納著慕名前來的每一個人，不管他們是來乞求神秘力量的庇佑，或僅僅是在夏日開滿鮮花的草地上狂歡。對無數的考古學家、天文學家們，它更是毫無保留。也許有朝一日它的真相將由這些學者揭示給大家。

羅德島太陽神巨像之謎

在愛琴海與地中海交界處的羅德島上，有一處存在時間極為短暫的古代世界的奇蹟，它就是太陽神赫利阿斯(即阿波羅)的青銅巨像。從建成到倒塌，只存在了短暫的六十多年，因此給後世留下了很多謎團。

勝利的紀念

羅德島地處東西方交界處，地理位置十分優越，加上島上氣候良好，土壤肥沃，它很快便成為了地中海重要的商務中心。周邊的大國無不覬覦它的繁榮富庶，對它虎視眈眈。西元前三○五年，馬其頓軍隊踏上了羅德島。

當時羅德島的全體居民退守至林佐斯城堡，利用那裡易守難攻的地勢進行殊死抵抗，連婦女和孩子都拿起了武器保衛家園。經過一年多的戰鬥，他們終於打敗了馬其頓軍隊，獲得了勝利。撤退的馬其頓軍隊丟盔棄

甲，羅德島居民將這些銅製戰利品搜集起來，熔化後，請當時著名的雕刻大師哈列塔斯負責鑄造了一座紀念勝利的塑像，就是太陽神赫利阿斯的巨像。因為赫利阿斯是羅德島的保護神，羅德島人認為他們的勝利來自太陽神的護佑。

雕像從西元前三〇二年開始製作，於西元前二九〇年完成，前後共花費了十二年時間，耗費青銅四百五十噸。據文獻記載，它是分步建造起來的：首先，在建好的大理石基座上，把已鑄好的腳到踝關節這一部分安裝固定好。然後，在旁邊堆起巨大的土堆，接著站在土堆上，把上面的部分一點一點的完成。在向上推進每一步之前，都先用一種鐵製的框架和一些方形的石塊從內部加固雕像，以保證其穩定。

建成後的巨像高三十三公尺，僅腳趾頭就有一個成年人合抱那麼粗。鑄造出如此巨大的神像並讓它豎立起來，即使是分步完成的，在缺乏各種技術條件和工具的遠古時代，也不能不說是一個奇蹟。所以它在建成之初，便被同時代的羅馬哲學家安蒂培特譽為世界七大奇蹟之一。遺憾的是，六十多年後的一場地震，讓這座宏偉的神像毀於一旦，從此給後人留下了無盡的謎題。

巨像的外觀

　　一般而言，古希臘雕像都會有複製品，然而唯獨太陽神巨像是個例外，沒有留下任何複製品。史實中也找不到任何關於巨像的站立姿勢的記載。因此，上千年來，人們只能對巨像的外觀做出種種猜測。

　　十一世紀時，人們對傳說中的羅德島巨像的外觀做出的推測是：巨像右手舉著投槍，左手按著長劍，柱腳是很高的圓柱，四周環繞著起伏的海浪。但也有人提出異議，說太陽神應該是頭戴太陽光環，駕馭著馬車，馬車上載著一輪鮮豔的紅日。

　　文藝復興時期，古希臘文明被推崇備至，羅德島巨像也再次為人們所關注。他們找出那些塵封已久的古代文獻，仔細研究後認定：太陽神巨像應該是兩腳寬寬的叉開，橫跨在羅德港的兩岸，手持火把，威嚴的注視著往來船隻。按照這種設想，太陽神巨像的作用更像是一座燈塔。

　　西元一九一九年，法國史學家弗‧普洛薩又提出，太陽神巨像應該是太陽神駕馭著四匹馬拉的雙輪戰車，矗立在羅德港口的形象。當然，這種猜測遭到了不少人

的反對。因為據現有的殘跡看，太陽神絕非駕車的姿勢，而且從力學角度看，這個底座根本無法支撐沒有根基的四匹飛馬的重量。

西元一九五六年，英國歷史學家蓋爾別爾特・馬力安根據他在羅德島找到的一塊浮雕，把巨像設想成這個形象：太陽神站在地上，右手擋在前額，雙目遠眺，左手臂搭著一件長衫，長衫一直拖到地上，形成巨像的另一個補充支柱。但有人嘲笑說，這種形象不像是太陽神，倒更像是一位角鬥士或者牧羊人。

關於巨像更為離奇的傳說是，巨像的手臂是可以活動的。巨像的內部並不是簡單的石柱、鐵架和木頭的架構，而是一個精巧的滑輪和齒輪系統，透過這個系統可以使巨人的手臂抬起，然後在重力的作用下落下，將入侵港口的敵船轟擊成碎片。如此說來，巨像就成了一個神奇的防禦武器。這個設想雖然很有創意，不過在設計上卻面臨著種種難題，恐怕連提出設想的人自己也畫不出精確的圖紙來。

西元一九八七年七月初，一位具有透視能力的荷蘭女性在訪問羅德島時，曾對周圍近海做了透視並預言：「赫利阿斯巨像沉入了聖尼古拉斯燈塔附近的海底，但

已碎得七零八落。」希臘政府進行探查後，果真在指定的海域內打撈起來了長一百八十公分，寬九十公分，厚八十五公分，重約一噸的雕刻品，呈左手握拳的形狀。

目前，由於赫利阿斯巨像的身體部分還沒尋覓到，所以無法判定其真偽。但這也許可以給人們對神像外觀的猜測提供一絲線索。

巨像的下落

關於巨人像的倒塌，多數史學家都認為是地震造成的。

有記載說，西元前二二四年，一場猛烈的地震襲擊了羅德島，城市遭到了嚴重的破壞，神像則從它最脆弱的部分──膝蓋處轟然倒塌。但是有人認為設計者在力學問題上出現了錯誤，才是巨人像倒塌的根本原因。或許這兩者都是羅德島神像倒塌的原因吧，今天我們已經無從知曉了。

神像倒塌後，與羅德島一向友善的埃及國王托勒密三世許諾，願意提供所有的花費幫助羅德島人重建雕像。但是當時羅德島人認為神像倒塌是神的意願，應該讓它就這樣躺在它倒下的地方，因此回絕了托勒密三世的幫

助。

關於神像最後的歸屬，有人說它躺在它倒下的地方經歷了八百多年的風吹雨打後，已是支離破碎，又被西元六五四年入侵羅德島的阿拉伯人肢解了它剩下的部分，把碎片賣給了一個敘利亞的猶太商人。據說，該商人用了九百頭駱駝才將所有的碎片運回敘利亞。

也有人說，它是在用船被運往義大利的途中遭遇風浪，永遠的沉入了海底。

總之，神像就這樣失去了蹤跡，只留給後人無盡的想像。

馬耳他島巨石文明之謎

　　西元一九○二年，在馬耳他島的佩奧拉鎮，幾個建築工人在為一家食品店挖建一個蓄水池時，發現腳下的岩石露出了一個洞口，鑿開一看，竟是一間寬敞的地下室。聞訊而來的考古學家們經過挖掘和清理，終於將一個規模宏大、設計獨特的史前建築呈現在了世人面前。馬耳他島由此聞名世界。

地下宮殿

　　這座巨大的石製地下建築共分三層，最深處距地面十二公尺，錯綜複雜，彷彿一座地下宮殿。它由上下交錯、多層重疊的多個房間組成。裡面有一些進出洞口和奇妙的小房間，旁邊還有一些大小不等的壁孔。中央大廳聳立著直接由巨大的石料鑿成的大圓柱、小支柱，支撐著半圓形的屋頂。整個建築線條清晰、稜角分明，甚至那些粗大的石架也不例外，沒有發現用石頭鑲嵌補漏

的地方。

　　在這座地下宮殿裡，岩洞的作用各有不同，有儲糧、儲水、殉葬、神諭室等。據考古學家測算，這座三層三十三個房間的遺址，大概用了幾百年的時間才建成，而建造年代竟然在西元前三千兩百年至西元前兩千九百年之間。也就是說，這座地下宮殿建於距今五千年左右的新石器時代。

　　面對著規模如此恢弘的地下宮殿，任何人都會產生這樣的疑問：在遙遠的、生產力低下的石器時代，馬耳他島上的居民為什麼要花費如此巨大的精力來建造這座地下建築？它的用途究竟是什麼呢？

　　有人認為它是一座地下廟宇。做出這種判斷的依據是這座地下建築中一個有神奇的傳聲效果的石室。這個石室中的一堵牆被削去了一塊，後面是狀似壁龕、僅可容一人的石窟。人坐在石窟中說話，聲音卻能傳遍整個石室。考古學家據此斷定這座地下建築是一個在宗教方面有著特殊用途的建築物，祭司坐在石窟內說話，外面的人聽起來這種無處不在的聲音便如同神的旨諭。

　　考古學家基於新的考古發現，也支持地下廟宇的說法，並且他們認為這是當地民族祭拜地母的廟宇。因為

在發掘過程中，他們先發現了兩尊女性側身躺臥的石像，後來又挖出了幾尊體態豐碩形似孕婦的女性石頭臥像。

不過，隨著發掘工作的深入，地下廟宇的說法越來越受到考古學家們的質疑。尤其是在一個寬度不足十二公尺的小石室裡發現了七千具骸骨後，他們認為這裡很可能是原始的善男信女們的墓地。因為這些散落在這片狹小空間中的骸骨並不完整，應該是以一種移葬的方式集中起來的，這種埋葬方式在原始民族中很普遍。也許埋葬在這裡的就是建造者的親人或者尊長。

當然，也有人認為，這座地下建築可能既是廟宇又是墓地，而不一定局限於某一種用途。

其他巨石建築

除了地下宮殿，在這座小島上人們還發現了其他巨石建築，其規模之宏偉，設計之精巧，都堪稱巨石建築的傑作。

比如西元一九一三年，在該島的塔爾申村發現的一處佔地達八萬平方公尺的石製建築，經鑑定是一座五千年前石器時代廟宇的廢墟，這是歐洲最大的石器時代的

遺址。

　　另外，馬耳他戈佐島上的吉干提亞神廟也是巨石建築的典範。這座神廟建成年代稍晚，但也有近四千五百年的歷史。當地人稱之為「戈甘蒂紮」，意思是「巨人的傑作」。它面向東南，背朝西北，是用硬質的珊瑚石灰岩巨石建成的。這座神廟正面高達八公尺以上，用緊密銜接的石灰石拼成，被稱為世界建築史上最早運用拼接技巧建成的傑作。

馬耳他島上的巨石建築

　　哈加琴姆神廟也堪稱島上最複雜的巨石遺跡之一。考古人員發現，這裡很多石頭的位置都是精心安排的，似乎有著某種宗教意義。其中一塊長達六百六十公尺用做鋪路石的大石板，是馬耳他群島所有的神廟中最為巨

大、也最令人矚目的超巨型石塊。在通往神殿門洞內的兩側，有一些用巨大的石塊做成的「石桌」，這些「石桌」到底是祭臺還是柱基，至今仍沒有定論。在這座神廟中，考古學家還發現了多尊地母的小石像，有人據此估計這座神廟與當時對地母的崇拜有關。

馬耳他島的諸多神廟中，最令人感到神秘莫測的是一座名為「蒙娜亞德拉」的神廟。這座廟宇又被稱為「太陽神廟」。一位名叫保羅‧麥克列夫的馬耳他繪圖員經過測量，斷言它實際上是一座相當準確的太陽鐘。他指出，根據太陽光線投射在神廟內祭壇和石柱上的位置，可以準確的顯示夏至、冬至等一年中的主要節令。尤其驚人的是，經過測定，這座神廟竟然是在一萬兩千年前建成的。

不少學者的研究表明，馬耳他島上的巨石建築的建造者們在天文學、數學、歷法、建築學等方面都有極高的造詣。但這些建築大多數比金字塔建造的年代還要久遠，當時的人們是從哪裡獲得這些知識的呢？而且，既然他們擁有如此高度的文明，為什麼除了這些巨石建築，他們沒有留下其他的文明遺跡？這種文明後來又為何中斷了？

面對這些巨石建築，人們的腦海裡會自然而然的湧出這些疑問，可是至今沒有人能做出圓滿的解答。

 相關連結

馬爾他島

馬爾他島面積兩百四十六平方公里，人口二十九萬七千人，島上主要為珊瑚石灰岩高地。北部高峻，多懸崖、山洞和谷地。南部高地從海拔兩百至兩百七十公尺，漸降到一百三十公尺以下。西海岸峻峭平直。東海岸則多深水海灣。島上是典型的地中海型氣候，年降雨量約五百公釐。農作物有馬鈴薯、葡萄、洋蔥、番茄等。特殊動物有豪豬、白齒鼩鯖、地中海鼬鼠和多種蝙蝠。

耶穌裹屍布之謎

耶穌裹屍布即都靈裹屍布，是一塊保存在都靈大教堂的長四公尺、寬一公尺的亞麻布，布上污跡斑斑，隱約可見一名男子正面和背面的影像。傳說這塊布曾用來包裹被釘死在十字架上的耶穌的屍體，布上的污跡和影像便是耶穌留下來的。

亞麻布上的影像並不是很明顯，但以攝影底片的形式顯示出的容貌，卻清晰得可以看清嘴唇輪廓，經電腦修補，還可以呈現出三維立體圖像。從圖像上可以看出，這名男子的身軀、面頰、手臂和手指都比正常人的要長，而左前臂則較右邊的長。不過整幅亞麻布都沒有包括耳朵、肩膀在內的側面輪廓。

這塊布究竟是不是耶穌的裹屍布，歷來就存在著爭論。

裹屍布的年代

西元一九四九年三月，美國科學家利比研究碳十四

測年技術獲得成功，並將這一成果發表出來。西元一九八八年四月二十一日，美國亞利桑那大學、英國牛津大學考古學研究所及瑞士蘇黎世聯邦科技學院這三個舉世聞名的實驗室共同利用碳十四斷代法對三塊從裹屍布上取下來的標本進行斷代，結果證明這塊裹屍布是西元一二六〇年至一三九〇年之間的產物，而且布上褪色的污跡顯示出的人形痕跡是後人用紅色的赭石和朱砂蛋彩畫顏料塗上去的，這一切似乎證明了這塊裹屍布是中世紀的贗品。

但用碳十四判定的裹屍布的年代並沒有得到廣泛的認同，有科學家指出，碳十四斷代法有很大的誤差，因為裹屍布上的細菌及真菌所製造出來的單糖和多糖會影響測定的結果。另外，還有科學家證實，高溫能改變碳的結構。

而且，最近有科學家在使用微化學法重新對裹屍布進行取樣分析後，又有了驚人的發現：在西元一九八八年的實驗中，三家實驗室所用的化驗樣品只不過是都靈裹屍布的一塊補丁，而新的鑑定認為，主體部分的年代要比這塊補丁早得多。

裹屍布上的血跡

有專家指出，分析裹屍布的光譜，足以證明血液的存在。另外，對裹屍布上的血跡進行 DNA 檢驗，檢驗報告指出，樣本中的 DNA 受到一定程度的破壞，但仍然可以發現一些染色體，其血液估計屬於AB型。此外，膽汁測試、紅血球測試、X 光測試及血蛋白測試等十二種檢驗都支持血液存在的說法。

但有科學家卻對這一結果表示質疑，認為以上測試存有疑點。他們提出陰性結果的法醫報告作證據，又提出有測試顯示裹屍布上的物質折射率比真正血液的低。總的來說，裹屍布上是否存在血液極具爭議性，唯有靠將來更多更準確的測試來驗證。

裹屍布上的花粉

西元一九六九年，學者費爾以一個特別的方法採集裹屍布上的物品，發現了五十七種花粉，其中只有十三種來自歐洲，其餘四十四種則來自土耳其、巴勒斯坦等地，這其中有三十二種花粉是由昆蟲傳播的。這個發現使裹屍布是中世紀產物的假設不攻自破。

但有科學家認為他的發現太完美了，花粉的來源地與曾經收藏過裹屍布的地點竟然完全吻合。而其他學者以其他方法做的實驗卻只發現小量的花粉。不過這是因為裹屍布的花粉是藏於纖維中的，所以用其他方法只能找到少量花粉。但是在費爾的二十多個樣本中，大部分的花粉都是來自同一個樣本，這會不會有外來污染呢？

　　西元二〇〇五年，以色列希伯來大學一名叫可維諾姆‧達寧的植物學家，在裹屍布上識別出二十八種產自耶路撒冷的植物留下的花粉痕跡，他由此斷定，這些花是放在裹屍布上的，這塊布來自以色列而並非中世紀的歐洲。

　　目前，關於耶穌裹屍布的真偽問題，學術界和宗教界還在爭論，看來短時間內還不會有確切的答案。

美洲古文明

　　印第安人來自何處？瑪雅文明為何會消失？詭異的印第安水晶頭骨是怎麼一回事？哥斯大黎加的森林中為何會有許多石製的大圓球？⋯⋯讓我們在廢墟遺跡中去尋找失落的美洲古文明，去探索隱藏在其中的謎團。

古印第安人起源之謎

西元一四九二年，哥倫布到達美洲之時，誤以為他所到之處為印度，因此將當地的土著居民稱作「印度人」。後來，為了區別於真正的印度人，漢語中就將其譯為「印第安人」。

印第安人

十六世紀，當西班牙入侵者踏上這塊土地時，中南美洲的印第安人還過著原始的農業生活。但是由於史籍資料甚少，加之美洲古文明遺跡在西方人征服過程中被嚴重毀壞，所以人們對創造這些文明的印第安人一直缺乏了解。印第安人到底來自何方？他們是美洲大陸的原住民？還是從其他大陸遷移過來的？對這個問題，學術

界一直沒有定論。

本土說

西元一八八四年，阿根廷著名古生物學家、人類學家弗洛倫蒂諾・阿梅吉諾提出，阿根廷的潘帕斯地區是哺乳動物進化的中心，是人類的搖籃，那裡曾有過比舊大陸更早的類人猿。正是由於這些猿類的遷徙，才使地球上各處都產生了人類。根據這種說法，印第安人就是美洲本土孕育的人類，其文明的起源發展過程是獨立完成的。

但是，專家們很快證實了他的理論所賴以存在的基礎都是錯誤的。他所說的那些類人猿遺骨經古生物學、考古學和地質學的檢驗，實際只是些動物的遺骨；他在布宜諾斯艾利斯發現的一塊頭蓋骨經復原，證實不是猿人的頭骨，而是屬於蒙古人種。而且，這些遺骨的地質年代比阿梅吉諾說的要晚得多。

外來說

「本土說」被否定後，學者們總體上認同「外來說」。不過，在來源的問題上存在著幾種不同的說法。

　　一是「大洋洲起源說」。因為南太平洋中有一些連綿不斷的島嶼，有些人據此認為印第安人的家鄉在大洋洲。雖然支持這一觀點的人確實找到了一些語言學和民俗學上的證據，但是，這些證據只能說明兩者之間在比較晚的時候有過交往，並不能說明印第安人的起源問題。

　　二是「陷落大陸起源說」，也就是「大西洲說」。當然，和愛琴文明的起源一樣，這種說法要等到大西洲被證實確實存在之後才有立論的根基。

　　三是「西北歐起源說」。該說認為美洲印第安人的祖先是從歐洲大陸向北經過冰島和格陵蘭島進入美洲的。至於是哪一支人進入了美洲，有的說是愛爾蘭人，有的說是日耳曼人，有的說是蘇格蘭北部和西部的蓋爾人，有的說是丹麥的弗里松人，還有的說是克爾特人。

　　四是「以色列猶太說」。該說認為美洲印第安人與西元前七二二年被亞述人打敗後的以色列各部落有關。持此說的學者認為，以色列部落被打敗後紛紛外逃，一部分人滯留在印度和中國，另一部分人經由韃靼到達亞洲東北角，過白令海峽進入了美洲。

　　但這種學說也有致命問題，近年來在美洲發現了許多距今四千多年的文明遺址，而這遠遠超出了猶太人遷

徙的年代。

亞洲起源說

二十世紀六〇年代以來，各國學者經過不斷的考察和研究以及近年來大量的考古發掘，逐漸有了比較一致的看法，「亞洲起源說」開始得到大部分學者的認同。

「亞洲起源說」認為，美洲印第安人的祖先是亞洲人中的蒙古人，他們在四萬年和一萬八千年以前透過白令海峽的「陸橋」從阿拉斯加進入了美洲大陸。據地質學家測定，在西元前七萬年至西元前一萬兩千年，亞洲東北部與美洲西北部有陸橋相連，這種說法與流傳在中國古老而神秘的使鹿鄂溫克族中的傳說不謀而合。傳說很久以前，當使鹿鄂溫克人遷徙到大陸盡頭的白令海峽時，不知該順著海岸線往西，還是掉頭回去。這時，一個薩滿(即巫師，被某些氏族認為是神的代理人)不斷夢見長者告訴他，渡海後的地方叫阿拉希加(使鹿鄂溫克語，意為「等待你」)，那裡非常好。於是在薩滿的感召之下，很多使鹿鄂溫克人渡海到達了阿拉希加，也就是今天美國的阿拉斯加。他們繁衍千年，後來又從北美向南遷移，逐漸遍佈美洲大陸。

隨著我國古人類學和考古學的發展，我國學者又在「亞洲起源說」的基礎上進一步提出了「華北人起源說」，而且還提供了一些證據。首先，在墨西哥古代奧爾梅克人文化中間，學者們發現他們的甬道圖案與殷人的極為相似；一些印第安陶器上的饕餮紋和雲香紋，與商周時代中國鐘鼎上的圖紋相似。在語言方面，中國漢語與印第安人語言也有相似之處，如在墨西哥瓦哈卡地區的印第安人的語言中，人稱代詞「我」、「你」、「他」的發音，與古代中國人稱代詞的發音相似；瑪雅語稱「人」為「鎮」或「銀」，與漢語發音接近；墨西哥一些印第安人稱「花」為「發」，發音與漢語完全相同。其次，一些考古發掘也證實印第安人與古代中國曾有聯繫。如美國考古學家宣稱在美國西海岸海底發現了屬於三千年前的古代中國人的石錨等。此外，西元一九七二至一九七四年，在我國河北陽原縣虎頭梁村附近的地層中發掘到兩百件楔狀石刻。經考證，這些楔狀石刻與北美阿克馬克印第安遺址中發掘的楔狀石刻相同。再者，某些史書的記載中所提到的一個名叫「扶桑」的國家已經證實不是日本，而有可能是美洲，這樣就能證實古代中國與美洲之間有過往來。

但是，也有學者認為，即使在中國文化與印第安文化之間找到了一些相通的東西，這也不能證明什麼，因為文化不是硬性材料，人類在精神文化方面往往存在著一些共性和偶合現象。而且，即使有古代中國人到過美洲，數量肯定也是有限的，他們的力量還不足以建立自己的國家，發展出一種文明。

主張反對意見的人，他們的證據也是很有力的。首先，在地理大發現時，美洲與歐亞大陸的主要作物品種不同，美洲產玉米、薯塊和豆類植物，而歐亞大陸產小麥和水稻；其次，印第安人和古代中國人只是在某些藝術品上存在相似之處，如果這些知識是古代中國人教給印第安人的，他們為什麼不把其他的知識也教給他們；最後，中國在殷商時代已經進入了奴隸社會的晚期，政治組織形式可算比較成熟，但直到歐洲人到來美洲大陸時，那裡的人們才發展到奴隸社會的早期階段。這幾點即使不能說明古代中國人未到過美洲，至少也說明他們未在印第安人中間留下什麼影響。

目前，印第安人的起源問題仍然處於討論與研究階段，希望隨著時間的推移，專家們能發現更多更有力的證據來給出確定的答案。

被拋棄的瑪雅文明

瑪雅文明遺跡

瑪雅是古代印第安人的一個部落的名稱，大約在西元前兩千年至西元前一千年，瑪雅人就創造了高度的文明。瑪雅文明在物質文化、科學藝術等方面取得了很大成就。例如，瑪雅人在建築工程方面已達到很高的水平，能對堅固的石料進行雕鏤加工；透過長期的觀測，他們已經掌握了日食週期和日、月、金星的運動規律，創製了精確的曆法；他們創作的雕刻、彩陶和壁畫具有很高的藝術價值。

然而就是這樣一個高度發展的古代文明，卻在八到九世紀之間，突然被拋棄於叢林之中。究竟是什麼原因使那些瑪雅人拋棄了他們世代奮鬥追求、辛勤建築起來的神廟和城市，遷居到深山，而且再也沒有回來過？

生態危機論

　　對於導致輝煌的瑪雅文明被廢棄的原因，地震說、瘟疫說、外族入侵說等種種推測都曾被提出來，但是它們都無法圓滿的解答反對者的質疑。近年來，最引人關注的是「生態危機論」。這一觀點是以瑪雅文明建立的基礎為出發點去考察的，得到了很多人的認同。

　　瑪雅文明雖然是城市文明，卻主要建立在玉米農業的根基之上，它的盛衰與玉米的收成息息相關。由於缺乏生態環境知識，當時的農民採用一種極原始的「米爾帕」耕作法，即把樹木砍光，進而將其焚毀，再把草木灰當做肥料使用，燒一次種一次。休耕一至三年後，待草木長得比較茂盛之時，再燒再種，如此循環。

　　隨著人口的增長，大片的林地被用作耕地，休耕的時間也被縮短了。這種做法導致土壤肥力下降，玉米的產量越來越低。連供人們食用的糧食都成了問題，瑪雅

人的社會狀況隨之一落千丈。但瑪雅王族和祭司們並未認識到這一點，他們將種種衰敗之象都歸結為神的不滿。為了得到神的幫助，他們要求建造更多的神廟。這樣只會浪費更多的人力和資源，進而讓社會陷入無可救藥的惡性循環之中。種種跡象表明，因糧食缺乏而引發的一系列資源和社會問題是瑪雅人棄城的直接原因。

大乾旱說

還有一些科學家認為，瑪雅文明的衰落很可能與大乾旱有關。

九世紀，正是瑪雅文明的頂峰時期。不幸的是，西元八一〇年、八六〇年和九一〇年前後，在加勒比海地區發生了三次非常嚴重的旱災，持續時間分別為九年、三年和六年。這三次旱災發生的時間與考古學家發現的瑪雅人遺棄城市的時間相符，這就印證了大乾旱加速瑪雅文明衰落的說法。

戰爭說

另外還有考古學家指出，氣候的變化並不是造成瑪雅文明衰落的唯一因素，瑪雅文明衰退的原因是複雜

的。混戰不止，也是瑪雅文明衰落的原因之一。

　　毋庸置疑，每一個文明的發展都伴隨著戰爭，很多燦爛的古文明也是在戰爭中消逝的。瑪雅文明發展之初，也有過不少戰爭，但這些戰爭從來不曾破壞農業和貿易，不會使城市的經濟枯竭，也很少危及平民的生命財產安全。所以每次戰爭結束後，瑪雅都會重新繁榮強大起來。

　　但是，這種情況到了八世紀中葉時發生了變化。因為統治瑪雅人生活區域的是幾個強盛的城市政權，城市政權之間各種利益關係的變化，使它們之間的戰爭形式也發生了變化，貿易開始遭到破壞，大批工匠和農民慘遭殺害。這個時候，土匪和海盜也開始大量毀壞農田、掠奪城市和鄉村、屠殺大批平民百姓。瑪雅人的城市裡最後僅剩下約百分之十的居民。

　　西元八二〇年之後，瑪雅人最終捨棄了傾注他們心血的城市，與生活了一千多年的彼德克斯貝頓叢林告別。

　　誠然，上述的分析都是中肯的，一個輝煌文明的消失和衰落很可能是多方面原因共同作用的結果。但是，那些瑪雅人為什麼自此以後再也沒有返回他們的文明發源地？他們的後裔為何再也沒有創造出那樣燦爛的文明？這些問題依然沒有人能夠給出答案。

印第安水晶頭骨

在南美洲印第安人中流傳著一個古老傳說：古時候有十三顆水晶頭骨，和人類的頭骨一般大，下巴還可以活動，能說話，會唱歌。這些水晶頭骨裡隱藏了有關人類起源和死亡的資料，能幫助人類解開宇宙生命之謎。

到目前為止，總共發現了十幾顆水晶頭骨，除了有三顆分別保存在英國大英博物館、法國巴黎凱布朗利博物館和美國華盛頓的史密森協會以外，其餘的都被私人收藏著。在所有被發現的頭骨中，「米歇爾‧黑吉斯水晶頭骨」無疑是其中純度最高、最完美也最神奇的一個。

「米歇爾‧黑吉斯水晶頭骨」是由英國考古工作者米歇爾‧黑吉斯和他的女兒安娜在中美洲的熱帶叢林中考察時，偶然發現的。這個水晶頭骨長十七公分，寬和高各是十二公分。它是用一大塊完整的水晶，根據一個成年女人頭顱的形狀雕製而成的。其鼻骨是用三塊水晶拼成的，兩個眼孔處則是兩塊圓形的水晶，構造精巧。

科學家們把水晶頭骨和真正的人類頭骨比較後發現，除了眼部特徵稍稍偏離人類的正常範圍以外，其他參數都與真正的人類頭骨相差無幾。這表明其雕刻是建立在非常了解人體骨骼構造和光學原理的基礎上的。而人類了解自己的骨骼構造是十八世紀解剖學誕生之後的事，近代光學的產生也要到十七世紀。生活在三千六百多年前的古代瑪雅人，是如何製造出水晶頭骨的呢？

　　科學家們推斷：要想在數千年前把它製作出來，只可能是用極細的沙子和水慢慢的從一塊大水晶石上打磨下來，而且製作者要一天二十四小時不停的打磨三百年才能完成。但是瑪雅人並沒有雕刻水晶製品的習俗。專家認為，水晶頭骨是阿茲特克人製造的，因為他們有雕刻頭骨的習慣。但是西元二○○五年一月，英國大英博物館的阿茲特克人的水晶頭骨被科學家鑒定為贗品。英國大英博物館所珍藏的那個水晶頭骨，據稱最早是在墨西哥阿茲特克人遺址上被發現的。專家們對水晶頭骨鑒定之後，肯定的說，水晶頭骨的牙齒上有機械打磨的跡象，而頭骨上的兩個穿孔也是用近代機械工具鑽出來的。科學家還利用樹脂給水晶頭骨製作了印模，從上面可以看出眼窩、牙齒和頭蓋骨處有細微的旋轉劃痕，很

明顯，這個水晶雕塑是用輪式工具切割並打磨出來的。

　　同一時間，人們對「米歇爾・黑吉斯水晶頭骨」也提出了全面的質疑。它和大英博物館裡的水晶頭骨雖然來源不同，但整體形狀很相似。不同的是，大英博物館的頭骨是一整塊水晶，而「米歇爾・黑吉斯水晶頭骨」的下頜獨立，可以拆下，做工更為精緻。但是兩顆頭骨的驚人相似，讓人很難相信它們是不同的人製作出來的。

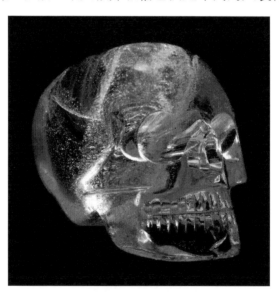

大英博物館中的水晶頭骨

　　在水晶頭骨上的謎團還有很多，比如，製作它的目的是什麼，它究竟有什麼用途等等。我們期待科學家們能早日揭開謎底。

瑪雅曆法之謎

瑪雅人在天文曆法上的成就，令現代人也不得不驚嘆。瑪雅人有一套複雜而精確的曆法，這套曆法主要包括太陽曆、金星曆、哈布曆和卓爾金曆。

太陽曆中，瑪雅人測算出的一個地球年的長度為六百六十五點二四二天，現代人的準確計算結果為三百六十五點二四二二天，誤差僅為零點零零零二天，也就是說五千年的誤差才僅僅為一天。同樣，瑪雅人知道月亮繞地球運行所需要的時間週期為二十九點五二八三九五天，而現代人計算出來最精確的數字是二十九點五三零五八八天。

據說，金星曆是瑪雅人耗費了三百八十四年的觀察期才制定出來的。他們計算出金星曆一年為五百八十四天，而現代人測算的金星曆一年為五百八十三點九二天，兩者相差僅零點零八天。

瑪雅人的哈布曆把一年分為十八個月，每個月二十

天，年終加上五天禁忌日，共三百六十五天。人類學教授布瑞科爾在其著作中估計，哈布曆的首度使用約在西元前五百五十年左右的某個冬至。哈布曆是進行農業生產的依據，所以每個月的月名都與季節及農作事件相關。如第十三個月指的是雨季結束，第十四個月則指秋天成熟的作物。

卓爾金曆是瑪雅人的宗教曆法，這種曆法將一年分為十三個月，每月二十天，每年共兩百六十天。到目前為止，科學家們還沒有在太陽系中發現運行規律符合此曆的行星。蘇聯學者卡扎切夫等人認為，卓爾金曆是瑪雅人的祖先依據一個至今我們尚不知道的星球運行規律制定的。

對於這幾套曆法，瑪雅人還準確的推演出了它們之間的關係：地球年三百六十五天，金星年五百八十四天，隱藏著一個公約數七十三；而卓爾金年、地球年、金星年，又隱藏著一個神秘的公倍數，從而推導出有名的金星公式：

卓爾金年兩百六十天╳一百四十六＝三萬七千九百六十天

地球年三百六十五天╳一百零四＝三萬七千九百六十天

金星年五百八十四天 X 六十五 = 三萬七千九百六十天

這就是說，所有的週期在三萬七千九百六十天之後重合。有人推測這也許是瑪雅人神話中所認為的神將回到他們中間來的時刻。

瑪雅計日的單位出奇的大，考古學家已經知道的數值為：

二十金(天) = 一烏納（月）／二十天

十八烏納 = 一盾（年）／三百六十天

二十盾 = 一卡盾／七千兩百天

二十卡盾 = 一伯克盾／十四萬四千天

二十伯克盾 = 一匹克盾／兩百八十八萬天

二十匹克盾 = 一卡拉盾／五千七百六十萬天

二十卡拉盾 = 一金奇盾／十一億五千兩百萬天

二十金奇盾 = 一阿托盾／兩百三十億四千萬天

以今天的科學眼光來看，這麼大的數字也許表示的是星系間的距離，因為只有「天文數字」才會這麼大。

瑪雅曆法滲透到了瑪雅人生活的方方面面，他們的建築都體現著曆法的意義。除了前面提到過的庫庫爾坎金字塔，還有在科潘地區發現的三十八根石柱等。科潘

地區的石柱上刻著比真人還高的帝王像，石柱的排列猶如天體位置。據推測，瑪雅人就是根據星宿的位置來安排生產和生活的。瑪雅的天文學家在長期觀測太陽和星辰的運行後，發明了簡明的曆法。柱石上雕刻的年月日均準確無誤。

正因為如此，有人推測，瑪雅人建築的金字塔、廟宇等只有小部分是為了滿足宗教上的需要，而大部分都是因為曆法上批示，每隔五十二年要建造一座有一定數目階梯的大建築物，一天為一階，一道平臺表示一月，直到頂端共計三百六十五天。總之，每一座完成的建築物都需符合曆法上一定的要求。

卓爾金曆與瑪雅預言

有瑪雅學者認為，卓爾金曆記載了「銀河季候」的運行規律，而據卓爾金曆所言：我們的地球現在已經處在所謂的「第五個太陽紀」，也就是最後一個「太陽紀」。在銀河季候的這一段時期中，我們的太陽系正經歷著一個歷時五千一百多年的「大週期」。時間是從西元前三一一三年起到二〇一二年止。在這個「大週期」中，運動著的地球以及太陽系正在透過一束來自銀河系

核心的銀河射線。這束射線的橫截面直徑為五千一百二十五個地球年。換言之，地球透過這束射線需要五千一百二十五年之久。

瑪雅人把這個「大週期」劃分為十三個階段，對每個階段的演化都有著十分詳細的記載。在十三個階段中每一個階段又劃分為二十個演化時期。每個時期歷時約二十年。當太陽系諸星體經歷完了這束銀河射線作用下的「大週期」之後，將會發生根本的變化，瑪雅人稱這個變化為「同化銀河系」。

從瑪雅預言中的「大週期」的時間上看，到今天已經接近尾聲了。從西元一九九二年到二〇一二年這二十年的時期中，我們的地球已進入了「大週期」最後階段的最後一個時期，瑪雅人認為這是「同化銀河系」之前的一個十分重要的時期。他們稱之為「地球更新期」。在這個時期中，地球要完全達到淨化。而在「地球更新期」過後，地球將走出銀河射線，進入「同化銀河系」的新階段。

根據瑪雅人的曆法，西元二〇一二年的十二月二十二日將是第五個太陽紀的終結之日。而且，瑪雅曆法只預言到第五個太陽紀，加上近年來越來越頻繁的自然災

害讓許多人相信，這個終結之日就是世界末日。

但是專家指出，這個終結是指此後人類將進入一個全新的文明，全人類在精神和意識方面都將覺醒並發生飛躍。瑪雅曆法同中國的天干、地支一樣，也一個周而復始的紀年方法，西元二〇一二年對應的是只是曆法的一個週期的末尾，就像過完十二個月，又要從一月開始計算一樣。所以，它並不是世界末日，而是預示著一個新的週期的開始。

奇琴伊察天文臺

建於奇琴伊察的瑪雅人的天文臺是世界上建築時間最早的天文臺，它的位置和臺階的角度，與重要的天象相合。天文臺外有一道螺旋形的樓梯通向位於圓塔頂部的觀測室，室內有一些位置準確的觀察孔，它們與瑪雅神話中星座的位置對應，可以準確的計算出星體的角度。

透過對星體的長期觀察，瑪雅人總結出了很多有關太陽和其他星體運行的規律。在著名的瑪雅古籍《德累斯頓古抄本》中，有十一頁手稿的內容是關於金星運動的軌跡的，有兩頁是關於火星軌道的，四頁是關於木星軌道的，另外有內容涉及到土星、北極星的運動規律，

還有一張獵戶座、雙子座和昴星團的星圖。

　　不過，在這座天文臺上有一個很奇怪的地方，那就是它的觀察窗並不對準夜空中最明亮的星星，卻指向著肉眼根本無法看見的天王星和海王星。而這兩顆行星，是現代人在十九世紀依靠高倍數天文望遠鏡才發現的(天王星是西元一七八一年，由赫歇爾發現的；海王星是西元一八四六年，由柏林天文臺發現的)。而幾千年前的瑪雅人又是憑借什麼獲得有關這兩顆行星的知識的呢？

帕倫克銘文廟的神秘石板

　　帕倫克是墨西哥歷史文化名城，瑪雅文明遺址之一。它位於墨西哥東南沿海平原，坐落在恰帕斯州首府梅里達西北約四百八十公里處。帕倫克古城素有「美洲的雅典」之稱，其歷史可上溯到西元前三百年左右。西元六百年至七百年，帕倫克古城發展到了最高峰。經過發掘發現的八千平方公尺區域內的古城建築，多建於這一時期。不過在西班牙人入侵前幾個世紀，這裡就已經廢棄了。直到十九世紀，這座沉睡了近千年的古城才被重新發現。

　　帕倫克的主要建築是一座宮殿和五座神廟，人們把這些建築稱為帕倫克宮、太陽神廟、獅子神廟、銘文神廟等。其中，金字塔、廟宇、墓葬合一的銘文神廟是帕倫克遺址中最雄偉的建築，在這座神廟的地下發現的巴加爾王的墓室則是在中美洲發現的第一座類似古埃及王陵的陵墓，它的發現堪稱瑪雅考古史上最令人震驚的發

現。而巴加爾王石棺上一塊刻有神秘圖案的石板，才是最令人不可思議的地方。

西元一九五二年，墨西哥考古學家阿爾維托・魯茲發現了巴加爾王的墓室。當他們看到巴加爾王的石棺時，頓時被它的雕琢精美、氣派高貴震驚了。石棺的長方形蓋子是一塊重達五噸的巨大石板，石板長三點八公尺、寬二點二公尺，上面精美的浮雕在密室潮濕的空氣裡仍然保存得很好。當石棺上雕刻的圖案是一個半躺著、上身向前傾斜、眼睛凝視著前方、伸出兩手的男子形象，身旁還有一些花紋。

當時，人們對它的含義做出了一些猜測。有人認為，它表現的是巴加爾在彌留之際掉進一個陰間怪物的嘴裡的情景。也有人認為，這是描繪巴加爾以一種胎兒的姿勢降入地下世界的情景，而從他的屍體上長出了一棵樹和一隻神鳥，整個畫面被一個雙頭的弓形的蛇斷開。不過，這些猜測儘管理解不同，但它們都沒有脫離瑪雅古代神話的範疇。

但到了六〇年代，人們乘坐太空船進入太空後，那些參與過太空研究的科學家們又提出了另一種看法：帕倫克那塊石板上雕刻的，原來是一幅太空人駕駛著宇宙

飛行器的圖案！石棺上鐫刻的人身上穿著一件緊身衣，其頭部有弧形物和管子，還有一種類似天線的頭部裝置。再看他如此奇怪的姿態，彷彿在操縱著某種人們至今無法知曉的控制設備的變速杆或飛機的操縱儀。而且，那些經過了變形的圖案，的確很像宇宙飛船的進氣口、排氣管、操縱杆、腳踏板、方向盤、天線、軟管及各種儀表。這幅圖畫的照片被送往美國航太中心時，那些太空專家們無不驚嘆，並一致認為石板上雕刻的就是古代的太空器。

這似乎令人難以置信，因為直到現代社會，熱帶原始森林中的瑪雅人後裔都沒有馬或者馬車，甚至連什麼是「輪子」都不知道，怎麼可能了解那麼先進的飛行器呢？那操縱著飛行器的又是什麼人呢？

因為除了這塊石板外，瑪雅文明中還有很多超越了他們發展水平的文明遺跡，所以有些學者提出了一種大膽的看法：在遙遠的古代，美洲熱帶叢林中可能來過一些具有高度文明的外星智慧生命，他們教給了尚在原始時代的瑪雅人各種先進知識，然後又飄然而去。這些外星智能生命被瑪雅人認為是天神。瑪雅文化中那些令人難以理解的高深知識，就是出於外星人的傳授。帕倫克

石板上的雕刻，也是瑪雅人對外星太空人的描摹。外星人離去時，曾向瑪雅人許諾他們將來還會重返地球，但在瑪雅人期盼祭司預言天神返回的日子裡，這些外星智能生命並未返回。於是導致了瑪雅人對其宗教和祭司統治喪失了信心，進而引起了整個民族精神信仰的崩潰，終於使人們一個個離開了故鄉，瑪雅文化就這樣消失了。

這種說法似乎可以很好的解釋瑪雅文明中眾多的令人不可思議的奇蹟，以及瑪雅文明突然消失的原因。但是，僅憑這些零星的線索，顯然還不能讓這個大膽的推測令所有人信服。

「眾神之都」之謎

在印第安人中曾流傳著一個古老的傳說：他們崇拜的第四代太陽不再發光了，人類生活在一片黑暗之中，面臨著毀滅的危險。眾神聽到了人們痛苦的呻吟和呼喊，降臨到了這片土地上。為了讓地球上永遠獲得光明，眾神商議，誰能犧牲自己跳進火中，誰就能變成太陽。後來，低賤的納納瓦特神勇敢的跳進了火中，變成了太陽。從此，這裡便被印第安人稱為「特奧蒂瓦坎」，意思就是「眾神之都」或「天神降生的地方」。

如今我們能看到的特奧蒂瓦坎古城遺址，坐落在墨西哥波波卡特佩爾火山和依斯塔西瓦特爾火山山坡谷底之間。自西元一九〇五年墨西哥政府開始組織發掘工作以來，差不多花了近一個世紀的時間，耗以巨額資金，才將古城遺址的多姿多彩的風貌展現出來。但是，這也不過只有當年的特奧蒂瓦坎城的十分之一。

偉大的建築

　　特奧蒂瓦坎古城最為著名的就是其城市建築。一般來說，古代的城市大都是自然形成的，因為無法事先規劃，所以即使是像羅馬、長安那樣舉世聞名的大都市，也處處可以看見佈局不合理之處。但是特奧蒂瓦坎古城的建築卻處處都像經過精心設計的，全城採取網格佈局，構成一個巨大的幾何形圖案，整座城市氣勢磅礡、規模巨大、中心突出。

　　該城的主要建築都沿著城市的軸線黃泉大道而建。黃泉大道長三公里、寬四十公尺，縱貫古城南北，兩旁每隔若干公尺建六級臺階和一處平臺。

　　黃泉大道東面是太陽金字塔，塔高六十五公尺，體積比埃及胡夫金字塔還大。特奧蒂瓦坎所有的建築物，包括宮殿和民房，都與太陽金字塔的方向一致，坐東朝南。月亮金字塔位於黃泉大道北端，與太陽金字塔形狀相似，但規模較小，塔基長一百五十公尺，寬一百二十公尺，塔高四十三公尺。太陽金字塔和月亮金字塔都用砂石泥土壘砌而成，表面覆蓋石板，再畫上繁複豔麗的壁畫。經考古學家鑒定，太陽金字塔大約完成於二世紀

時，始建於什麼年代，卻無人知曉。據記載，當時這兩座金字塔金碧輝煌，塔內分別供奉著太陽神和月亮神，當太陽從東方升起照在鑲嵌著金銀飾片的神像上時，神像便放射出神聖的光輝。

鳥蝶宮上的浮雕

月亮廣場以西，聳立著古城最豪華的建築——鳥蝶宮。宮殿裡的壁畫完整無損，色彩鮮豔，中央大廳的圓柱上刻著蝶翅鳥身的浮雕，鳥蝶宮下面，是迄今發現的特奧蒂瓦坎城最古老的建築，稱為「羽螺廟」，其牆上畫有許多用美麗羽毛裝飾的海螺。在離羽螺廟不遠的地方，是「美洲豹宮」，它門口的牆上畫著兩隻蹲在地上的美洲豹。美洲豹頭飾羽毛，虎視眈眈，前爪握著一隻海螺在嘴邊吹奏。

黃泉大道的南端是一座紀念性的大建築物——城堡。城堡裡最雄偉壯觀的建築就是羽蛇神廟。羽蛇是印

第安人崇拜的神話動物，因為身體是蛇，但長著克沙爾鳥羽毛而得名。如今的羽蛇神廟只剩下了一座造型優美的六層稜錐形底座，不過僅僅是這個底座的豪華精美和雍容華貴就已使專家們驚嘆不已。它的每一層都有眾多的羽蛇頭像和雨神頭像石雕間隔排列。雕刻形象栩栩如生，使人無法相信這是些僅僅靠使用石製工具加工的產品。廟基上還刻著許多精美的圖案和怪異的象形文字，但至今學者們仍然無法譯解那些象形文字的意義。

毀滅之謎

這樣一座設計精巧、規模宏大，聚集了眾多偉大建築的古城，究竟是誰建造的呢？有人認為是托爾特克人。但是，後來的考古發現證明，最晚到西元前三世紀時，這裡已經有人定居，一世紀左右特奧蒂瓦坎城就已初具規模。到八世紀，特奧蒂瓦坎城被廢棄時，北方的托爾特克人還沒有興起。當十世紀托爾特克人南下到達特奧蒂瓦坎時，該城已成廢墟。

有人認為是天災或者瘟疫毀滅了這座繁華的城市，但據考古學家分析，八世紀時，墨西哥谷地沒有發生天災以及瘟疫的跡象。

隨著近年來對中美洲古文明研究的新發現，一部分學者提出，特奧蒂瓦坎等古城的毀滅同祭壇殺人太多有關係。從特奧蒂瓦坎古城遺留的壁畫中可以看到，為了祈求風調雨順，奴隸主會用活人的心臟獻給太陽神、雨神。也就是說，當年，廣大奴隸除了為建造金字塔無償勞動外，還要忍受在金字塔頂用活人祭天的可怕犧牲。奴隸主們認為，獻的祭越多，神靈的施恩就越大。若逢金字塔落成大典，殺害成千上萬人活祭也不稀罕。那麼多的金字塔，那麼頻繁的祭祀，再大的民族也會趨於衰亡。這樣看來，特奧蒂瓦坎的衰亡難道是奴隸主殘暴統治下的自取滅亡？或者是奴隸們最終不堪忍受暴行而發動了叛亂？這些還需要有更多的證據來證明。

　　還有人簡單的猜測說是外敵入侵導致特奧蒂瓦坎的滅亡。但是，從當時特奧蒂瓦坎居民所掌握的科學技術以及整個城市的經濟實力等方面來看，無疑都要遠遠領先於當時美洲的其他所有民族。這樣一種高度發達的文明會因為遠遠落後於它的原始民族的入侵而滅亡，實在令人難以置信。

　　又有一些考古學家勘察了一些遺跡後認為，特奧蒂瓦坎後期曾發生過大火災，有些大火好像還有人為施放

的痕跡。他們相信，火災就是使這座古城衰落的原因。但是，縱火者是誰？為什麼縱火？他們卻無法解答。

　　建造這座城市的能工巧匠以及幾十萬的居民都隨著這個城市的突然衰亡而消失了嗎？如果沒有，他們到哪裡去了呢？是融入到了其他民族之中嗎？可是他們為什麼沒有再留下任何代表他們的文明的蹤跡呢？這一個個疑問暫時沒有人可以解答。

蒂瓦納科的太陽門之謎

　　蒂瓦納科在古印第安語中是「創世中心」之意，這裡集中了古印第安文化中最燦爛輝煌的部分。整個蒂瓦納科遺址主要包括四個部分：一是阿卡帕納金字塔，這是遺址中最長的建築；二是大卡拉薩薩亞神廟，它是蒂瓦納科人舉行宗教儀式的場所；三是太陽門；四是位於一座巨大的庭院中央的石墓宮地墓。太陽門是其中最傑出的代表。

　　太陽門聳立在安地斯高原上，由重達百噸以上的整塊巨型長石雕刻而成，高三點零四八公尺，寬三點九六二公尺，中央有一門洞，造型莊重，比例勻稱。它原來可能是一個巨大神廟的門，上面雕刻有浮雕。橫楣中間刻著一個手握權杖、正面而立、身穿戰俘頭裝飾的外衣的神像，其頭部周圍刻滿放射狀的線，線頂端有動物的頭，權杖兩端裝飾著在美洲象徵太陽的鷹的形象，故此神無疑為太陽神，太陽門也是因此而得名。太陽神兩旁

各有三排神秘的動物，牠們頭戴錐形花冠，手握權杖，跪地面向中間的神，門楣的頂部和底部排列著大睜雙目的人像，有的手舉禿鷹朝向太陽神，整個浮雕展現了一個深奧而複雜的神話世界。這塊巨石在發現時已殘碎，西元一九○八年經過整修，才恢復舊觀。據說，每年九月二十一日黎明的第一道曙光總是準確無誤的射入門中央。

早在印加王國崛起以前，太陽門就已經存在了很多個世紀。有些學者據石刻圖案推測，蒂瓦納科的修建年代應該在西元前一萬五千年左右，因為他們認為這些圖案刻畫的是西元前一萬五千年的星空。從另一些石刻上，人們還發現了早已滅絕的史前動物。但另一些人用層積發掘法檢測，認為蒂瓦納科大約是從三世紀起開始興建，到十世紀時才全部完成。不管怎樣，相對於當時的生產力水平，蒂瓦納科確是一個偉大的奇蹟。

蒂瓦納科遺址建在海拔三千八百公尺左右的高原上，而當地並沒有巨大的石塊，所以人們推測是前去蒂瓦納科朝聖的人們運來了它們，並建造了太陽門和阿卡帕納金字塔、大卡拉薩薩亞神廟等建築。

但是當時的生產力十分低下，要把上百噸的巨石從

五公里外的採石場運到指定地點，至少每噸需要配備六十五人，那麼總共需要兩萬六千多人才能完成所有的運輸工作。而要安頓這支運輸大軍的食宿，就得有一個龐大的城市，但這樣的條件在當時並不具備。

還有人認為，當初是用平底駁船經的的喀喀湖從採石場運石料的。根據地質考察，當時湖岸與太陽門所在地位置十分接近，但如果這種說法成立，那使用的平底駁船就得比幾個世紀後的殖民主義者乘坐的船還要大好幾倍，這似乎也是不可能的事。

一般認為，蒂瓦納科建於五世紀或六世紀，建築者可能是居住在安地斯山區的科拉人。蒂瓦納科曾是一個舉行宗教儀式的中心場所，太陽門極有可能是阿卡帕納金字塔塔頂上廟堂的一部分。美國歷史學家艾・巴・托馬斯也認為遺址是科拉人建立的，但他說那裡是一個大商業中心或文化中心。

至今，關於太陽門是如何建造起來的，它有什麼用途，仍然莫衷一是。

納斯卡巨畫之謎

　　西元一九三九年，紐約長島大學的保羅・科孛克博士駕駛著他的飛機，沿古代引水系統的路線，飛越秘魯南方的安地斯山脈，從空中俯瞰著納斯卡平原。在佈滿褐色碎石的廣闊原野裡，他突然看到了一些清晰而奇異的圖畫，這就是著名的納斯卡巨畫。科孛克博士的發現很快震動了史學界。一時間，考古學家和科學家們紛紛趕來，特別是德國天文學家瑪麗亞・賴希小姐，她自從被這些神秘的圖案所吸引後，就再也不願意離開它們了，並為研究它們獻出了畢生的精力。賴希小姐從這片平原上認出了數百個三角形、四邊形或平行的跑道。那些巨大的直線，有時彼此平行，有時呈文字形，她發現有很多又長又寬的條紋橫貫其間，有的像道路，有的像方格、圓圈、螺紋，有的看上去如同蜥蜴、獅子等。還有好多不可名狀的，像是某些植物，只不過植物的具體形態也被省去，只剩下簡練的線條了。

據稱，這些巨畫中最新的一幅也是在一千多年以前完成的。自從被發現以來，它的成因和寓意等問題一直困擾著人們。它們是遠古宗教的圖騰？是古代天文學的產物？還是某位鐵血帝王下令建造的狂妄藝術品？為什麼要繪製這些巨大的圖案？它們又是怎麼繪製的？

構成這些圖案線條的是深褐色表土下顯露出來的一層淺色卵石。據專家計算，每砌成一根線條，就需要搬運幾噸重的小石頭，而圖案中所有線條精確無誤的位置又決定了製作者必須首先要精心計算製作設計圖。當時的納斯卡居民尚處於原始社會，這些巨畫是怎樣製作出來的呢？

瑪麗亞·賴希認為，古代居民可以先用設計圖製作模型，然後把模型分成若干部分，最後按比例把各部分複製到地面上。而另一些人則認為，這些巨畫是按照空中的投影製作的。這樣的解釋雖能比較直截了當的解決了設計和計算的困難，但引出了更多的問題。因為古代納斯卡人不可能掌握飛行技術，那麼，是誰在空中進行投影的呢？

事實上，只有從三百公尺以上的高空中才能看清這些巨畫的全貌，因此，巨畫只能是為從空中向下觀看它

們的人繪製的。而在遙遠的古代，有誰能從高空或太空中觀看這些巨畫呢？以《眾神之車》的作者馮‧丹尼肯為代表的一些人認為，這是天外來客光臨地球時在他們的降臨地建起的跑道。但也有人指出，從現代航太技術看，太空梭是不需要跑道的。

有人估計，因為納斯卡平原貧瘠而又荒涼，所以那些神秘的圖形才能歷時一千五百年以上而依然完整無損。然而這裡的土著居民社會發展程度十分低下，有些方面甚至還停留在石器時代。而巨畫所表現出來的高度的設計、測量和計算能力，以及對幾何圖形的認識程度，無論如何都令人難以想像是這些至今對巨畫仍毫不理解的土著居民的祖先，在一千五百年前創造了這些展示給天空的作品。

拋開如何繪製的問題不談，科學家們又如何解釋納斯卡人繪製巨畫的目的呢？

巨畫的發現者科孛克博士在夏至那天碰巧觀察到太陽從某一根線條末端的上空落下去。因此他推測，這些線條是用來觀察天象的，他稱它們為世界上「最大的天文書籍」。瑪麗亞‧賴希和秘魯考古學界的大多數學者也都認為，這些圖形與某種天文曆法有關，因為其中有

幾條直線準確的指向黃道上的夏至點與冬至點，還有的指向春分點和秋分點。而那些動植物圖形，他們推測很可能是星座的變形複製品，如最有名的蜘蛛圖可能代表獵戶座，而那些長短不一的線條則可能是星辰運行的軌道。

美國麻省理工學院的研究員大衛・詹森則提出了不同的推測。大衛多年來一直從事對納斯卡地區古代灌溉系統的研究，西元一九九七年的一天，他正在山上探察一個岩石斷層，突然發現宏偉的納斯卡線條群落正好指向他要去的那個斷層。因此，大衛推斷這些巨大的圖形，以及它們之間數公里長的線條，是納斯卡人用來記錄地下水源位置的標記。而在它下面，就是在如此乾涸的平原上對納斯卡人而言最為寶貴的水利系統——一個龐大的灌溉系統。但這究竟是巧合還是事實，大衛也無法做出進一步的證實。

馬丘比丘之謎

在十五世紀中葉，拉丁美洲的一個土著印第安人部落，透過不斷兼併鄰近部落，最終在今天的秘魯利馬附近建立起了一個強大的奴隸制國家——印加帝國。據說，印加人非常崇拜太陽神，因此特別鍾愛發出陽光般燦爛光澤的黃金。他們千方百計的聚斂黃金，其數量之大，令人難以想像。

馬丘比丘

有關印加帝國擁有大量黃金的傳說，引起了當時一些殖民主義者的佔有欲望。但十六世紀中葉，當西班牙殖民者佔領了印加帝國後，他們並沒有找到大量黃金。後來，他們聽說印加人把大量黃金和珍寶藏在了

安地斯山脈的一個神秘城堡中。但是，他們搜尋了很多年，都沒有發現這個城堡。

直到西元一九一一年七月的一天，美國耶魯大學教授希拉姆‧賓漢姆在距印加古都庫斯科城一百二十二公里處的兩座陡峭的山峰之間，發現了一座被白雲和密林覆蓋的高原城郭。考古學家無法得知它的原始名字，於是借用附近的一座山名，稱其為「馬丘比丘」。

馬丘比丘古城的發現，曾引起舉世轟動。不過人們在這裡並沒有發現大量的黃金，而只有藤蔓灌木遮蓋掩映的宮殿、神廟、祭壇、廣場、街道、水道、監獄、倉庫等石頭建築。當人們進一步考察這座古城時，發現的則是更多的疑問。

建造之謎

根據大多數考古證據判斷，馬丘比丘是在印加王帕查庫特克(西元一四三八至一四七一年在位)向烏魯班巴河征戰時期建造的。這座古城裡的全部建築都是用巨大的花崗石疊砌而成的。這些建築沒有使用灰漿之類的黏合劑，完全是靠工匠精準的將石塊切割成各種不規則的形狀，然後再將它們像拼接玩具那樣相互交錯的搭建在

一起。石塊之間嚴絲合縫，連一把薄薄的匕首也插不進去。有關人員經過仔細勘察，發現有的巨石竟有三十三個角，每一個角度都和毗鄰的那塊石頭上一個相等的角緊密的結合在一起。如此精密的工程，當初的石匠是如何設計，又靠什麼工具來加工它們的？

考古發現，建造這座古城所用的成千上萬塊花崗岩，都是來自於距離馬丘比丘六百公尺以下的山谷中的採石場。當時的印加人不但沒有比較先進的運輸工具，甚至不會使用車輪，他們怎麼能夠把這些巨大的石塊搬運到高山上並放在恰到好處的位置呢？據估計，有一些巨石的重量甚至不下於兩百噸。

用途之謎

馬丘比丘的建造者們如此費盡心思的在山巔上建造一座石頭城，究竟有什麼目的呢？

以賓漢姆為代表的一些人認為，它就是印加帝國最後的避難所。但是從遺址荒廢的程度來看，幾個世紀以前，它已經沒有人居住了。既然沒有被人發現，避難於城中的居民為何又拋棄了它呢？

另外有些考古學家根據遺址的規模及城中各種建築

的功能的劃分，認為它並不是一座普通的城市，而是一個舉行各種宗教祭祀典禮的活動中心。他們在城中發現了一些頭骨，而且大多數是女人的頭骨，於是推斷這些都是敬獻給太陽神的「聖女」。城中還有一塊精心雕刻過的怪異巨石——拴日石，據說是印加人每年冬至的太陽節時為祈禱太陽重新回來，會象徵性的把太陽拴在巨石上。這種說法似乎有一定的道理，但目前還沒有更確切的證據來證實它。

馬丘比丘的石壁上刻著許多符號和標記，也許破譯出它們，關於這座古城的謎團就會解開。我們期待著這一天早日到來。

哥斯大黎加石球之謎

　　二十世紀三〇年代初，美國聯合果品公司籌劃在哥斯大黎加的某個熱帶叢林中開闢一片空地，建一個大型香蕉園。公司派遣了一個森林砍伐隊去完成任務，砍伐隊員們在森林深處竟意外的發現了幾十個一人多高且排列整齊的大石球，旁邊還有些小石球，球面都異常光滑。這些神奇的石球中，最大的直徑達二點四公尺，重十六噸，最小的僅有數公斤重，石頭上面還刻著一些奇怪的圖案，砍伐隊員看著這些奇異的大石球面面相覷，疑惑不解。

　　哥斯大黎加森林中發現大石球的消息一經傳出，就引起了世界各國考古學家的重視。首先來到這裡的是美國哈佛大學考古學家穆維勒‧羅斯盧卡教授所率領的考古隊。他們竭力想找到一些能說明這些神秘的大石球來歷的線索，然而林海茫茫，除了參天大樹和這些大小石球之外，連其他大一點的石塊都沒有找到。不過當他們

走到附近的馬爾蘇爾城的時候，不禁大吃一驚。因為城裡街道的空地上幾乎到處都有大石球，石球成了花園、門庭前的一種裝飾。這些大石球是何人製作的？怎樣製作的？製作出來有什麼用？羅斯盧卡整天在這些大石球旁轉來轉去，腦子裡想的都是這些問題。

美國考古隊的到來，引起了當地人的猜測，一時傳聞四起，說大石球裡有稀世珍寶。居民們便紛紛砸碎石球，有的人還用火去烤它，以為一旦把它燒裂開來，就可以得到一筆巨大的財富。這種愚昧的舉動使不少石球毀於一旦。

隨後，許多國家的考古學家紛紛來到哥斯大黎加，經過艱苦的考察和研究，他們得出了一致的結論：森林中的巨型石球是人工鑿成的，製作石球的材料是花崗岩。然而當地並沒有這種石料。製造一個直徑二點四公尺的石球，需用一塊重達二十幾噸的正方體石料。製造者是怎樣找到那麼大的石料？又是怎樣運來的？製造者是誰？是什麼時候製造的？

關於這些，哥斯大黎加的史冊中並無記載。十六世紀入侵此地的西班牙人也不知道這些大石球的存在。有的考古學家推測，這些大石球是遠古時代當地人信奉的

太陽神、月亮神等的雕像。也有考古學家認為，大石球可能是古人墓葬的標誌，因為曾在古墓穴中發現過小石球。然而，眾說紛紜，莫衷一是。

　　後來，人們又在世界上自然條件不相同的其他地區，陸續發現過一些大石球。西元一九六九年，西德艾費爾採石場發現了一個大石球，直徑五公尺多，是爆破採石時滾出來的。巴西有個石球博物館，那裡收集了產自柯魯柏的石球，它們呈現出極為規則的幾何形狀，光滑度無可挑剔。有的地質學家研究後認為，這是大自然的鬼斧神工造就的。研究人員推測，這些石球可能生成於砂層的結晶化的過程中。當地層深處的礦質溶液上升而進入砂層時，溶液中的某處有時會出現結晶化過程，此過程由結晶中心向四周均勻擴展。於是在鬆散的砂層中就形成了一個堅硬的石球，球體中的砂粒被礦液所固結。後來鬆散的砂層漸漸被風化，於是其中的石球便脫穎而出。他們認為，類似的過程也可以發生在噴發火山灰飛過程中。柯魯柏發現的石球中有兩球相連的現象。有人認為，這是由於兩個結晶中心相距過近，所形成的石球碰到一起，於是就形成了連體的石球。

　　看來，自然界石球的成因是各式各樣的。在哥斯大

黎加發現的眾多大小不一的石球，究竟是大自然的傑作，還是人類智慧的結晶，目前還無法確定。

哥斯大黎加石球

　　科學家們已經提出了不少假說，試圖去解釋哥斯達黎加的石球和世界各地發現的石球的成因，也得出了種種不同的結論。但是對此問題，至今還沒有一個令所有人信服的說法。

查科文化消失之謎

　　西元一八八八年的一個大雪天，兩個牧童為尋找因迷路而走失的牛群，偶然闖入了美國西南部科羅拉多州荒無人煙的梅薩峽谷，竟然在谷底發現了一座壯麗輝煌的城堡。這座城堡就是後來聞名遐邇的「懸崖宮」。

　　「懸崖宮」的發現，引起了很大的轟動，考古學家用了很長的時間進行發掘工作，結果在猶他州、亞利桑那州、新墨西哥州都發現了類似的建築物，其中以在新墨西哥州西北部的查科峽谷發現的最引人注目。

　　考古發現，早在西元前六世紀，北美西南部諸民族就在上述地區繁衍生息。雖然這裡只有局部地區的降水量可以用來種植農作物，但從西元前三世紀到西元十五世紀期間，這些民族以種植玉米為中心，竟然逐步發展起了三種各具特色的農業文明，即霍霍坎人、莫戈倫人和安納薩吉人的文明。其中以安納薩吉人的文明最為先進，查科峽谷中的建築物就是安納薩吉人建造的。至於

他們為什麼要把如此壯觀的城堡建在荒涼貧瘠的峽谷裡，考古學家們卻無法參透其中的原因。

十一世紀中期到十二世紀中期，是查科安納薩吉人文化的頂峰時期，安納薩吉人在查科峽谷裡建造了大約一百五十個村莊。這些村莊構成了南北綿延四百公里的網絡。在這些村落中，規模最宏大的當屬波尼托村落。

據考證，波尼托村落的修建前後持續了兩百年左右。雖然在十九世紀人們發現它時，有的建築已崩塌了，但現存的廢墟依然很宏偉。它的遺址是一片建在地面上的一座四層的半圓形建築，佔地面積一點二萬平方公尺，有砂岩城牆圍繞，直立的後背則朝向峽谷的峭壁。它共有三層臺地，中間有相互通連的將近八百個房間和四十所會堂，它們都圍繞著中心廣場排列成半圓形。房間呈圓形，房頂為蜂箱形。房頂和屋內地上各開一個洞口。房頂的洞口作為通向外面世界的進出口，地下的洞口則是人死後靈魂飄向陰間世界的入口。

這裡大大小小的石屋，每一座都用上萬塊石頭堆砌而成，僅僅用來做橫梁的松樹木、針樅木就多達兩萬多根。當時，美洲大陸上還沒有牲畜和輪子等運輸工具，安納薩吉人是如何從五十多公里外的採石場和伐木場將

巨石和大樹運到險峻陡峭的山谷中的？人們不得而知。

在整個建築中還有一種奇特的被稱作「克屋」的圓形屋子。最大的一間「克屋」，直徑達六十三英尺，縱深十五英尺。屋內的傳聲效果特別好，兩人在一頭竊竊私語，另一頭的人們可以聽得清清楚楚。

當時安納薩吉人雖然處於母系氏族社會時期，但已知曉天文和原始的藝術。至今在查科峽谷的法加達·巴特頂上還保留著他們修築的「天文觀測臺」。一把像匕首一樣的「陽光針」，插在垂直的石板中央，以此來測試春分、秋分、夏至、冬至。在懸崖峭壁上刻著一些含義不明的圖畫。在谷地還發現了用綠松石做成的裝飾品。

查科地區最使人困惑不解的特徵之一是它的道路。在這裡，人們發現了數百條寬九公尺多的硬面路，條條都直通懸崖頂，而且每隔十二至十六公里就建有一座村鎮，這些村鎮的遺址至今還殘存著。

種種跡象都說明，這裡曾經是安納薩吉人的政治、經濟、宗教中心，估計那時大約有五千多人口。

安納薩吉人在查科經歷了從十一世紀初到十二世紀的一段空前絕後的創造力突發期，創造了不可思議的史前文化，引起眾多歷史學家和考古學家的讚嘆和

重視。但是從十二世紀後半期，查科文化很快衰落，到了十三世紀就湮沒無聞了。一個燦爛文明的突然消失會由哪些原因引起呢？有人認為是氏族內部因搶奪土地和水源而引發矛盾，並招致外敵入侵。為防禦和抵抗外來入侵者，他們不得不拋棄這些城堡，在山谷峭壁上挖洞開始過新的生活。但到目前為止，在峽谷廢墟上還未發現任何戰爭留下的蛛絲馬跡。

有人認為是惡劣的氣候迫使他們不得不遠走他鄉。因為據有關人員考證，十二世紀和十三世紀，這裡發生過一連串旱災。於是他們推測，乾旱使得這裡的居民的生活越來越難以維持。大約到了西元一二〇〇年，當地人漸漸砍光了這裡所有的樹木，這種大規模的毀林不僅使他們寶貴的農田迅速沙化，而且也進一步導致了乾旱的加速和土地資源的惡化，糧食和水源的短缺讓他們徹底面臨著生存的危機，他們不得不拋棄這裡，遠走他鄉。

還有人認為是人口繁殖過多，以致土地超負荷使用的結果。

究竟是什麼原因導致了查科文化的消失呢，因為安納薩吉人沒有留下任何文字記錄，所以所有的說法都只能停留在猜想階段，沒有可靠的證據來證實。

非洲、南太平洋諸島古文明

　　古埃及人是如何建成宏偉的金字塔的？木乃伊體內有心臟節律器是怎麼一回事？撒哈拉沙漠裡為什麼會有岩刻壁畫？澳大利亞原始洞穴中的岩壁上為何會有各種各樣的手印？……在非洲及南太平洋諸島產生的古文明中，還有許多未解之謎等待著我們去探索。

埃及金字塔的建成之謎

古埃及的金字塔是「古代世界七大建築奇蹟」之一，也是古埃及燦爛文明的代表之一，是埃及國家的象徵和埃及人民的驕傲。它們數量眾多，分佈廣泛。在迄今為止發現的九十六座金字塔中，最大的是位於開羅郊區吉薩的三座金字塔，其中最為著名的則是胡夫金字塔。

胡夫金字塔建於西元前二六九〇年左右。原高一百四十六點五公尺，由於風化等原因，現高一百三十六點五公尺；底座每邊長兩百三十多公尺，三角面斜度五十二度，塔底面積五點二九萬平方公尺；塔身由兩百三十萬塊石頭砌成，每塊石頭平均重二點五噸，最重的達幾十噸。據專家估計，如果用火車裝運金字塔的石料，大約要用六十萬節車廂；如果把這些石頭鑿碎，鋪成一條一尺寬的道路，大約可以繞地球一周。

如此宏偉的建築，如此浩大的工程，在當時沒有任何現代機械設備的情況下，是如何完成的呢？

胡夫金字塔

模擬建塔實驗

西元一九七八年三月，日本早稻田大學的古代埃及調查室組織了一支考古實驗隊，他們根據「西方史學之父」希羅多德的記載，模擬古代埃及人的造塔方法，在古塔的前面建造了一座新塔，其規模相當於原塔的四分之一。

希羅多德曾記載，建造胡夫金字塔的石頭是從「阿拉伯山」(可能是西奈半島)開採來的，修飾其表面的石灰石則是從尼羅河東岸的圖拉採石廠運來的。

實驗隊也同樣先從採石廠採集石料。他們先在採石

場的石面上鑿出連成線的小孔，然後打進木楔子，透過不斷敲擊，直至石塊產生裂縫，隨著裂縫越來越大，整塊的石料就從巨大的石面上剝離了下來。至今在阿斯旺採石場上，還可找到殘留有木楔子痕跡而未切割下來的石料。這可以證明，這個辦法可能確實是古埃及人當年使用的採集石料的方法。

然後，他們又模擬古埃及人，以木橇載著石塊，用人和牲畜牽引，慢慢將石塊運到工地上。他們推測，為採集建造胡夫金字塔所需的石料，古埃及人修建了一條寬闊而平坦的道路，從採石廠直達塔前，而僅修建這條路和金字塔的地下墓室就用了十年的時間。

最後，他們將場地四周天然的沙土堆成斜面，再把巨石沿著斜面拉上金字塔。堆一層坡，砌一層石，就這樣逐漸加高金字塔。實驗證實了古埃及人在沒有現代化起重設備的條件下，仍然可以把一塊塊巨石砌上去，直至墓室最上面一層的三角形尖頂。

模擬實驗似乎極具說服力，但仿造的金字塔畢竟只有真正金字塔的四分之一，而且採石、運石的困難，古今不可同日而語。所以有科學家對於古埃及人建造金字塔時遠赴「阿拉伯山」採石提出了質疑。

有些科學家大膽推測，建造金字塔的巨石不是天然的，而是人工澆築的。首先提出這一觀點的是法國化學家大衛‧杜維斯。他將從金字塔上取下的小石塊逐個加以化驗，結果顯示，這些石塊是由人工澆築的貝殼石灰礦組成。有趣的是，他還在石塊中發現了一縷頭髮，更加證明了這些石塊不是天然形成的。而且建造斜坡，將巨石從低處推向高處的做法，也遭到了很多人的質疑，因為要建造一個與塔頂齊高的斜坡，其工程之浩大，不亞於修建金字塔本身，何況金字塔修好後還要拆除斜坡。

不過，無論古埃及人採用什麼方法建造了如此宏偉的建築，他們的智慧和勤勞都是令人驚嘆的。

地外文明的傑作

二十世紀九〇年代，科學家們曾利用電腦技術對金字塔進行分析。人們輸入了大量的幾何學、光學、建築學等所需數據，甚至不一定是必需的數據也被輸了進去，電腦的螢幕上始終顯示著一個詞：「IMPOSSIBLE」(不可能的)，並告訴科學家輸進的資料還不夠。今天，人們也僅僅只能用電腦構建出金字塔的結構圖。

另外，據科學家估算，以當時的條件，若用純人力

的方法，用兩萬名工人同時施工，連同開採、策劃、監工及建造等，要想將石塊放到準確的位置，每天也只能放上十塊左右，這樣建造一個金字塔便需要六百年時間。而據希羅多德的記載，建造胡夫金字塔，古埃及人只花了二十年的時間。難道胡夫真的強迫百萬埃及人不停的為他工作了二十年嗎？如果所有的人都在為建造金字塔這一件事而勞動，整個國家豈不是要癱瘓了嗎？

由此看來，除非有什麼神奇的外來力量的幫助，否則埃及人根本無法完成金字塔的修建。

近年來，隨著科技的進步和人們的空間視野的拓展，有人便將金字塔的建造之謎與外星人聯繫起來了。經推算，他們還發現，透過胡夫金字塔的經線把地球分成東、西兩個半球，它們的陸地面積是相等的，因此外星人會選擇在此處建造金字塔。有關金字塔具有神奇力量的種種說法，也使人們更容易接受這種離奇而神秘的推測，所以這一說法也日漸盛行起來。但是，與百萬奴隸的勞動結果的說法相比，這種說法更缺乏實際的證據。

關於金字塔還存在著許多謎團，目前，越來越多的科學家投身於對金字塔的研究之中。即使只能揭開其中的一個謎底，那也將是科學史上的一大進步。

木乃伊的心臟節律器

　　心臟節律器是二十世紀五〇年代末才在醫學中開始運用的現代醫療手段，但是在埃及盧索伊城郊外出土的木乃伊身上，居然發現了具有相同功能的裝置，並且使這具兩千五百年前的木乃伊乾枯的心臟依然保持著有節奏的跳動，這不得不令人對古埃及人的智慧大為驚嘆。

　　西元一九九〇年，在埃及盧索伊城郊外，一具剛出土的木乃伊被抬出墓穴，在對其進行初步處理時，一名參與處理工作的祭司發現這具木乃伊體內發出了一種有節律的奇特聲音。他循著聲音找去，發現聲音是從心臟部位發出來的，彷彿是心臟跳動時所發出的聲音。難道是這個死者的心臟還在跳動嗎？這實在讓人難以置信。那麼會不會是什麼東西被藏到了這具木乃伊的心臟裡了呢？人們一時無法知道，因為他們還不敢拆開那纏滿白麻布的屍體，去揭開謎底。於是，他們立即組織人將木乃伊原封不動的送到了地方診所，地方診所也不敢貿然

處理這具奇特的木乃伊，隨後又將它轉送到了開羅醫院。

接到這具轉送來的木乃伊後，開羅醫院組織了一些經驗豐富的專家對其進行檢查。然而，他們仍然無法從屍體的表面查清聲音存在的原因，於是決定對其進行解剖檢查。醫生們將纏滿屍體的白麻布拆開，對屍體進行了解剖，這時他們才發現有一個節律器位於屍體心臟的附近。

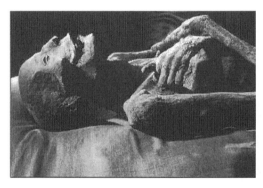

帶有心臟節律器的木乃伊

這個能在兩千多年後仍然跳動的黑色節律器引起了醫生們的極大興趣，他們利用先進的儀器對其進行了測試，發現這個節律器是用一塊含有放射性物質的黑色水晶製造的。在此之前，人們還從未見到過黑色的水晶。醫生們發現，雖然這個兩千五百年前的心臟早已乾枯成為肉乾，卻仍然隨著節律器的韻律跳動不止。人們可以

清楚的聽到它那「怦怦」的跳動聲很有節奏——每分鐘跳動八十次。

開羅醫院隨後將這一重大發現公佈於衆，並將這個節律器重新安放到木乃伊體內。這一驚人的消息不僅吸引了衆多的考古學家，大批電子學家也對其產生了興趣，他們紛紛從世界各地趕到開羅醫院，對這具身藏心臟節律器的木乃伊進行參觀、探究。

大家都對這個神秘的節律器十分不解，這個黑色的水晶究竟來自何方呢？在兩千五百多年前能懂得黑水晶含有放射性的物質並可以使心臟保持跳動的是些什麼人呢？另外人們又提出，作為協助心臟工作的心臟節律器，一定是在人活著的時候被安放到人體內的，那麼在古埃及落後的醫學條件下，當時的人們又是如何將如此先進的節律器放入人的胸腔裡去的呢？

考古學家們在這一系列難題面前陷入了沉思，很多人進行了大膽的猜測。有人認為，在文明程度較高的古埃及可能存在過一些具有特殊能力的術士，這一歷史奇蹟就是這些術士利用奇異的手段創造出來的。然而，這僅僅是猜測，沒有任何科學依據。

這個黑色的水晶節律器，是由什麼人製造的，又是

如何植入人體內的，仍然是未解之謎。

 相關連結

木乃伊的製作

在古代，由於迷信靈魂的存在，或者出於對祖先的崇敬，大多數民族都十分注意保存死者的屍體。迄今人類所發現的古屍一般分為四大類——乾屍、濕屍、蠟屍和鞣屍。

木乃伊屬於乾屍。埃及人在製造木乃伊時，首先從死屍的鼻孔中用掏出一部分的腦髓並把一些藥料注到腦子裡去進行清洗。然後用鋒利的石刀，在腹部的側面切一個口子，把內臟全部取出。用棕櫚酒徹底清洗內臟和體腔後，再在內臟上撒一層搗碎的香料，放進罐子裡存放起來。體腔則用搗碎的草藥、香料等填滿，然後照原樣縫好。接著，將屍體埋在鹽和小蘇打的混合物中，四十天後取出洗淨，從頭到腳用細麻布繃帶包裹起來，繃帶內還要塗上一層樹脂作黏合劑。最後，把木乃伊裝入一個人形的盒子裡，送還給親屬。

斯芬克斯之謎

尼羅河畔的斯芬克斯雕像是在吉薩高原石灰質的岩床上雕出來的，雕像長七十三點一五公尺，肩部寬十一點五八公尺，高二十點一二公尺。物換星移，風霜歲月，它總是深沉而靜默的屹立在那裡，遙視著東方，似乎在守衛著什麼。

建造者之謎

究竟是誰建造了這座歷經數千年而風采依舊的雕像呢？

傳統歷史學的觀點認為，這座獅身人面像是由古埃及第四王朝的法老卡夫拉建造的(其在位時間是西元前二五二○年至西元前二四九一年)。幾乎所有埃及學標準教科書、百科全書、考古雜誌和常見的科學文獻中都表示，獅身人面像的面部是按照卡夫拉本人的模樣來雕刻的，也可以說，卡夫拉的臉就是獅身人面像的面孔，這

一點已被認為是歷史事實了。提出這一觀點的根據之一是豎立在獅身人面像兩前爪之間的一塊花崗岩石碑上刻著的一個音節——khaf。然而僅僅根據一個音節，我們就能斷定是卡夫拉建造了獅身人面像嗎？

實際上，十九世紀末和二十世紀研究埃及學的一大批資深學者都認為，獅身人面像並不是卡夫拉雕刻的。西元一九〇〇年，開羅博物館古跡部主任加斯東提出自己的觀點，認為獅身人面像前爪間的石碑上雖然刻著卡夫拉的名字，但這個名字是與其他文字隔開的，這說明卡夫拉國王很可能修復或清理過獅身人面像。這在某種程度上也證明了獅身人面像在卡夫拉生前已被風沙埋沒過。

西元一九〇五年，美國學者詹姆斯也說：「獅身人面像就是卡夫拉國王塑造的，這完全是沒有事實根據的；石碑上根本看不到古埃及碑刻上少不了的橢圓形圖案……」原來，在法老統治的文明時期，所有碑文上的國王的名字總是包圍在橢圓形的符號裡，或者用橢圓圖案圈起來。

隨著科技的不斷發展，人們越來越多的運用現代科技手段去考察古文明的珍貴遺產。西元一九九二年，

《劍橋考古》雜誌刊出了芝加哥東方學院馬克・萊納教授的文章，他利用「攝影光學數據和電腦圖像」，證明了偉大的獅身人面像就是對卡夫拉面孔的臨摹。他在文中寫道：「我們將電腦測繪的結果用數字輸入電腦之後，出現了網狀結構的 3D 立體模型(骨架)，再用兩百六十萬個平面點繪出了骨架圖上的『皮膚』。我們繪製出的獅身人面像的模樣可能恰似數千年前的它的原樣。有了卡夫拉的面孔，獅身人面像便獲得了新生……」

但也有人提出了與此截然相反的觀點。美國紐約警察局法醫高手弗蘭克二十多年來一直在研製一種犯人肖像「鑒別器」，他每天的工作就是分析和研究各式各樣的人臉。他將拍攝的獅身人面像和卡夫拉雕像的上千張照片作了仔細的比較，得出結論說：「仔細觀察獅身人面像的五官比例尺寸，特別是從不同的側面看，其五官的角度和面部突出的尺寸，都使我堅信，獅身人面像不是卡夫拉……」

水 浸 之 謎

一波未平，一波又起。美國學者約翰・韋斯特的發現又引起了新一輪的爭論。韋斯特發現，獅身人面

像除頭部以外，整個獅身都出現了水浸跡象。這種水浸的痕跡究竟是怎麼產生的呢？

獅身人面像

最初，人們想到了洪水。但是這首先需要在整個尼羅河流域至少有十八公尺深的洪水。如果真的發生了這樣的大洪水，不可能在其他地方不留下任何痕跡，也不可能在古埃及所有的歷史文獻中都沒有記載。另外，如果洪水已爬到金字塔的底座，那麼獅身人面像堤道的另一端，即所謂的「喪葬廟」裡面的石灰岩心，也必然會受到侵蝕，但是事實卻並非如此。這樣看來，洪水一說也是不可信的。

為了揭開這一謎團，韋斯特找到了波士頓大學的地質學專家斯利克教授。斯利克教授將關於侵蝕的研究工作，建立在了古氣候學的基礎上。他認為侵蝕獅身人面像的不是洪水，而是雨水。他因此對獅身人面像的建造時間提出了一種非常保守的估計，認為它的建造時間可能「至少在西元前七千年至西元前五千年之間」。斯利克教授認為，在埃及學家普遍認為的獅身人面像建造時間更早的幾千年之前，引起獅身人面像特殊侵蝕模式的大雨就已經停止了。

　　但是依據埃及學家的考證，在西元前七千年~西元前五千年的遠古時期，尼羅河流域是新石器時代以狩獵為生的原始部落的聚居地，當時人們使用的工具僅限於磨製的石器和木棍等。在這種情況下，獅身人面像及其周圍的廟宇(由一塊塊重達兩百噸的石灰石建成)是如何建成的呢？

　　獅身人面像上的水浸痕跡究竟是不是雨水造成的？它究竟由何人建造於何時？面對如此多的謎題，人們至今仍然沒有找到答案。

亞歷山大燈塔之謎

　　相傳，在西元前二八〇年秋天的一個夜晚，一艘從歐洲迎接新娘返航的埃及皇家船隻，在駛入亞歷山大港時，因為天色太暗，觸礁沉沒了，船上的埃及皇族連同歐洲新娘全部葬身魚腹。這一悲劇震驚了埃及朝野，國王托勒密二世於是下令在這個最大港口的入口處，修建導航燈塔。這就是亞歷山大燈塔。

　　亞歷山大燈塔建在法羅斯島東端一塊距島岸七公尺處的礁石上，因此也被稱為「法羅斯燈塔」。燈塔總高一百三十五公尺，塔身高一百一十四公尺，由上、中、下三部分組成：底部塔基呈方形，高七十一公尺；中部呈八角形，高三十四公尺；上部呈細圓柱形，高九公尺，還有梯子從塔底直通頂部。塔頂為圓形，上面有一尊高七公尺的海神波塞冬的青銅立像。整個塔身是用白色大理石砌成，石縫全用熔鉛黏合，十分牢固。

　　燈塔建成後的一千五百年來，一直為過往的船隻指

引著進港的路線。它高大的塔身原本就是一個醒目的航標，而且，塔頂的燈室內還裝有一塊巨大的磨光的青銅凹面鏡。白天，鏡子將陽光聚焦並反射到幾十公里以外；晚上，則在鏡前點燃木材、橄欖油，熊熊的火光透過金屬鏡反射出去，據說在六十公里遠的海面上就能望見。但是，如今卻尋不見燈塔的蹤跡。

關於這座燈塔，歷史上有過記錄。阿拉伯史學家伊本‧謝赫於西元一一六五年訪問亞歷山大，寫成了《艾列夫巴》一書，書中對燈塔作了較為詳盡的描述。西元一九〇九年，德國工程師特里希根據各種文獻繪製了燈塔的復原圖。但是，僅有一些文字資料，並不能讓所有的人相信燈塔的存在，因為他們懷疑如此宏偉的建築，兩千多年前的人真的建造得出來嗎？

直到西元一九九四年，一些潛水夫在亞歷山大港東部港口的海床上發現了一些古代遺跡，其中有一處被證實是亞歷山大燈塔的塔身，人們這才相信這一奇蹟的存在。但是，它是怎麼被毀滅的呢？

傳說，七世紀時，東羅馬帝國的一位皇帝企圖攻打亞歷山大城，擔心他的船隊被燈塔照見，於是散佈謠言說燈塔底部有亞歷山大大帝的遺物和珍寶。當時統治亞

歷山大城的阿拉伯國家的哈里發果然中計，下令讓人拆塔挖寶。後來，在當地百姓的強烈反對下，哈里發才不得已停止了拆塔，但燈室已遭到毀壞。不過，不管這個傳說是否真實，它都不能算是亞歷山大燈塔被毀滅的原因。

　　一些歷史和地質學家認為，亞歷山大城處於地中海的地震帶上，歷史上燈塔曾經多次因地震而遭受損害。雖然不斷的修復使它仍能夠發揮作用，但西元一一〇〇年，燈塔再次遭受強烈地震後，終於因受損嚴重而失去了往日的作用，成了一座瞭望臺。而在西元一三〇二年的大地震中，整座亞歷山大城被毀滅，燈塔也未能倖免。西元一三七五年，此地又一次發生猛烈地震，燈塔全部被毀。隨著地層沉陷，法羅斯島連同附近海岸地區慢慢沉入海底，燈塔的廢墟也看不見了。西元一四七二年，統治埃及的馬穆魯克王朝為了抵禦外來入侵，乾脆在燈塔的原址上修造了一座軍事要塞，命名為「馬穆魯克要塞」。燈塔就這樣被人們遺忘了。

　　雖然亞歷山大燈塔已不復存在，但在人們的想像中，它依然擁有昔日的輝煌。

示巴古國與示巴女王之謎

據《聖經》記載，西元前十世紀中期，以色列國王所羅門將國家治理得繁榮興盛。異國君主示巴女王仰慕所羅門的智慧和聲名，在大批隨從的陪同下，浩浩蕩蕩的來到耶路撒冷，拜見所羅門。她故意向所羅門提出一些難題，但智慧的所羅門有問必答，令女王心服口服。於是，她向所羅門獻上了黃金、寶石和香料，所羅門也盛情款待了這位遠道而來的異國女君主。

示巴女王在《聖經》中驚鴻一瞥的出場，引起了歷代史學家、文學家、行吟詩人和民間藝人的極大興趣，由此而產生了種種浪漫離奇甚至荒誕不經的傳說。歷史上真有示巴女王其人嗎？示巴古國又在哪裡呢？

示巴女王其人

關於示巴女王和示巴古國，正史上並沒有明文記載，關於她的身份來歷，僅見於各種傳說。

一種傳說認為，示巴女王是預知耶穌將受難於十字架的女先知。據說，她在去耶路撒冷拜見所羅門的途中，遇到一座木橋，腦海中突然閃現出耶穌被人用此橋的木板做成的十字架釘死的情景，於是馬上繞道而行。所羅門聽說這個不祥之兆後，立即命人把此橋拆毀，並將橋板深埋於地下。誰知多年以後，這塊橋板還是被人挖了出來，做成了釘死上帝之子的十字架。

　　另一種傳說認為，示巴女王是埃塞俄比亞古國阿克蘇姆的女王。在耶路撒冷拜會所羅門時，示巴女王對這位英俊的國王讚賞不已，而所羅門也被示巴女王的美麗打動。示巴女王在耶路撒冷待了半年，回國時已身懷六甲。不久，示巴女王生下一子，取名埃布納‧哈基姆，意為「智者之子」。埃布納‧哈基姆長大成人後，曾去以色列覲見父王。後來，哈基姆成為埃塞俄比亞的國王，即孟尼里克。從此，他的後代繼位時，都要舉行莊嚴的儀式，宣誓他們的王統來自所羅門。

　　在中世紀和文藝復興時期的宗教藝術中，示巴女王時而以美麗高貴的女王形象出現，時而又是個醜陋的女巫。有關示巴女王的種種傳說，儘管繪聲繪色，但它們最大缺點在於缺乏考古或史料所提供的可靠依據。示巴

女王是否確有其人，至今還是一個謎。

示巴古國

根據傳說，示巴古國即埃塞俄比亞古國。有的歷史文獻甚至把這種傳說視為史實而寫入正史，還有人把埃塞俄比亞的一些遺址與示巴女王聯繫起來。

也有學者認為，示巴古國是西元前十世紀興盛於阿拉伯半島西南部的一個文明古國，在現今的阿拉伯葉門共和國境內。而現今也門的東部城市馬里卜就是示巴古國的首都，該城現在還沿用古稱。由於它緊靠當時的通商要道——紅海，所以同與紅海相鄰的以色列、埃及、埃塞俄比亞、蘇丹等國結成了密切的貿易關係，商業一度十分發達。

示巴古國盛產香料、寶石和黃金，這使它在商品交換中處於十分優越的地位。據說，當時示巴商人已經會利用紅海的季風之便遠洋航行了。他們在每年二至八月海風吹向印度洋和遠東時，加大對這些地區的貿易運輸量。等到八月海風回吹時，他們又溯紅海而上，與以色列和埃及開展貿易活動。示巴的陸路貿易也很發達，駱駝商隊活躍在阿拉伯半島和西亞的廣闊地帶上。

示巴女王拜見所羅門

　　在當地已發掘出的古跡似乎印證了這一說法，所以，目前這是得到認同最多的一種觀點。但是要完全了解這個失落的古國及其文化，還有很多的謎團需要解開。

撒哈拉沙漠史前壁畫之謎

撒哈拉沙漠壁畫引起世人的關注，是在西元一九三三年。當時，一支法國騎兵駱駝隊途經撒哈拉中部的恩阿哲爾高原時，無意中發現了長達數公里的壁畫群。這些壁畫全部繪在受水侵蝕而形成的岩陰上，五顏六色，色彩雅緻。此後，歐美一些國家的考古學家紛至沓來。

西元一九五六年，法國政府組織了一支探險隊，由亨利‧羅特率領，再次深入撒哈拉沙漠展開調查，共發現了一萬多幅岩畫。第二年，他們將總面積約為一萬一千六百平方英尺的壁畫複製品及照片帶回巴黎，一時成為轟動世界的奇聞。

撒哈拉沙漠的遠古文明吸引了許多學者、旅行家前來考察，他們不僅在阿爾及利亞的恩阿哲爾高原地區有了許多新的發現，而且在利比亞、尼日、馬利、查德和蘇丹這些國家的沙漠裡也取得了可喜的成果。這些成果表明，撒哈拉遠古文明覆蓋的範圍和現在的沙漠地區幾

乎一樣廣大。

經過考證，撒哈拉沙漠岩畫中最早的岩畫屬於新石器時代(西元前八千年至西元前七千年)，也有人傾向於更早一些的中石器時代。在撒哈拉岩畫群中，人們還發現了兩種特殊的文字，即撒哈拉文字和提斐那古文字，說明當時的文明已經發展到了相當高的水平。

撒哈拉壁畫群中的動物形象可謂千姿百態，牠們有的站立、有的行走、有的狂奔、有的跳躍，還有懷孕的和受傷的，有些動物身上還畫有被長矛、箭頭或者棍子打傷的痕跡。這些動物形象栩栩如生，創作技藝高超，可以與同時代的任何國家傑出的壁畫藝術作品相媲美。在壁畫群所描繪的動物中，最多的要數聚集在水邊的牛群，畫面色彩豐富，其中尤以牧牛彩色畫和雕刻畫最為精美。有人推測，牛可能在當時的人們的生活中產生了特別重要的作用，於是人們就把牛當成一種圖騰來崇拜了。從這些動物圖像上可以推想出古代撒哈拉地區的自然面貌，例如一些壁畫上有人划著獨木舟捕獵河馬，這說明撒哈拉曾有過水流不絕的江河。值得注意的是，壁畫上的動物在出現時間上有先有後，從最古老的水牛到鴕鳥、大象、羚羊、長頸鹿等草原動物，說明撒哈拉地

區氣候越來越乾旱。

　　壁畫群中，還有不少專門表現人物形象的作品，那些人物的身材很高大，最高的約有九公尺。人物的外形基本上都是胳膊和腿特別長，腰卻很細，肩膀很寬，比較像現在非洲黑人的身體特徵。而且，有的人物形象的肩膀和後背上有很多白色的斑點，和現在西非和中非黑人裝飾在身體上的標誌差不多。所以，有些科學家據此推測這些壁畫中的人物形象是典型的黑人種族的模樣，而撒哈拉遠古文明也是非洲土著黑人創造出來的。當然，事實究竟是否如此，還有待進一步的證明。

　　除了動物和人物形象，撒哈拉沙漠壁畫中還有一些無法解釋的形象。在有些岩畫上可以看到，在大部分一望而知就是當地牧民的人群中，卻夾雜著一些非常現代的神秘人像。他們有的身穿精緻的短上衣，有的「戴著太空盔，頭盔上還有兩個可供觀察的小孔，頭盔用一種按鈕與軀幹部服裝連接」。在撒哈拉的塔西利臺山脈，有一些被稱為「偉大瑪斯神」的壁畫，畫中的人像戴著圓形的密封頭盔，穿著連體的緊身衣。用現代人的眼光看去，這些形象像極了現代太空人的樣子。更加神奇的是，在恩阿哲爾高原上的一幅巨型

岩畫上，一群土著人圍繞著一個身材高大、頭身一體、頭上有雙角而看不出五官的奇怪人物。從畫面上看，當地的土著對這些似人非人的「大個子」非常尊敬，好像對待神靈一樣。這些畫不是一幅，而是許多幅一再出現。有的學者據此認為「這只能證明早在七千多年前，其他行星生物就已到過撒哈拉沙漠，當地的人群看見他們從天而降，認為是神靈降臨，所以在他們離開後把這些人描繪成岩畫。」

　　撒哈拉壁畫在整體風格上粗獷樸實，具有很高的寫實性。它們究竟是什麼人創作的？那些人創作出這些碩大無比、氣勢磅礡的巨畫又是為了什麼？壁畫中那奇特的形象真的是外星生命嗎？這一切到目前為止還是難解之謎。

大津巴布韋之謎

在贊比西河與林波波河的分水嶺之間，屹立著非洲撒哈拉南部地區最為宏大、壯美的遺址——大津巴布韋。「津巴布韋」在當地班圖語中的意思是「可敬的古屋、石屋」。在這個國家遍佈著約兩百處這樣的石屋廢墟，其中以在首都哈拉雷以南三百二十公里處所發現的最為壯觀，被稱為「大津巴布韋」。

探索古文明未解之謎

大津巴布韋遺址

大津巴布韋遺址是西元一八六八年被發現的，整個遺址佔地面積約二十六萬平方公尺。古城的全部建築都

是用長約三十公分，厚約十公分的花崗石塊砌成。這些石塊層層堆疊，而石塊之間未使用石灰黏合便構成穩定獨立的曲面牆，牆的高度有時比厚度多一倍。雖然許多牆的底部有圓形的扶垛，但它們並沒有支撐作用，這讓人不能不佩服當時人們的建造水準。

大津巴布韋遺跡是一個大面積的複合體，共有三組建築：第一組被稱為「衛城」，衛城建在離內城不遠的小石山上，全長兩百多公尺，蜿蜒曲折的石牆隨著山岩起伏。站在衛城頂上，可把整個津巴布韋遺址風光盡收眼底。城牆上砌著七座高達十五公尺的實心圓形石塔，當初葡萄牙冒險家就是看到這些高塔才發現了這座石頭城的。不過現在，石塔只剩下了四座。

大津巴布韋遺址中最珍貴的文物——「津巴布韋鳥」的石刻雕像也是在這裡發掘出來的。鳥用淡綠色的皂石雕刻而成，鳥身如鷹，而頭似鴿子，脖子高仰，翅膀緊貼身子，長約五十公分，雄踞在一公尺高的石柱頂端。現在它已被作為津巴布韋的象徵，印在了國旗和硬幣上。

第二組是內城，有一處橢圓形的大圍牆，稱作神廟。東南面有一段較完整的城牆，高約九公尺，厚約五

公尺，西南、東北和正北三面的城牆高約六公尺，整個
城牆的底部寬約五公尺，頂部寬約二點五公尺。城裡的
建築物大多只剩下一片殘垣斷壁，從外形推測，這裡有
古代宮廷、神廟和各種住宅建築。神廟內有一座氣勢莊
嚴的高塔，是整個遺址中最神秘的建築。

第三組是介於衛城和內城之間，散落著的一些低矮
的石砌屋子。從出土的實物看來，這塊被稱為山谷殘垣
或谷地遺址的地方，大概是普通居民們居住的地方。據
估計，鼎盛時期的石頭城，人口達萬人之多。

圓錐形實心塔之謎

神廟內神秘的高塔是一個圓錐形石塔，塔高十一
公尺，底部直徑近六公尺，頂部直徑約兩公尺。一批
又一批考古學家和前來企圖在塔內搜尋黃金寶藏及古
物的人，曾千方百計想進入塔的內部去探查，卻無法
找到一個入口，最終不得不認定這是個實心塔。

這樣一座實心塔到底有什麼用途呢？專家們都十分
不解。有人認為它與當地的糧倉形狀相似，但是它又沒
有貯糧的空間；有人說它是瞭望臺，卻又缺少上下的階
梯；有人說這是某種宗教的象徵；還有人說這是男性生

殖器的象徵，代表著酋長的權力。但這種種說法都缺少足夠的依據，至今人們仍不明白它的真正用途。

事實上，不僅圓錐塔，就是整座石頭城到底是幹什麼用的，人們至今也沒能真正弄明白。有人說它是當時的部落酋長居住的地方。也有人認為，它是古代人開採冶煉黃金的地方，他們還將在此處發現的金珠和冶煉器具作為證據。但是，遺址附近一直沒有發現任何金礦。還有人認為，這是一個宗教場所，是酋長的墓地。不過，由於這些石頭建築上沒有文字，歷史上也沒有記載，這種種說法都只能是沒有證據的猜測。

建造者之謎

從已經發掘到的文物看，大津巴布韋遺址曾經是一座非常繁榮的城市，農業、冶煉業、對外貿易都相當發達，而且一度與中國、阿拉伯、波斯等許多國家有著經濟、文化的交往。據考古學家們分析，它曾經是非洲中南部幾個古代王國的都城，它的鼎盛時期是十四至十五世紀。

從石頭城的衛城堆積層中發現的遺物來看，在西元三二〇年左右，就已經有進入鐵器時代的非洲土著人聚

居在石頭城一帶了。從石頭城遺址最底層出現的各種小圓珠推斷，石頭城最早的城址大約建於八至九世紀，城裡的建築物大多建於八至九世紀，城外的建築物大多建於十四至十五世紀。

規模如此宏大的石頭城究竟是誰建造的呢？

還有人稱遺址中的圓錐形石塔同伊斯蘭教寺院的尖塔一模一樣，所以石頭城是阿拉伯古代移民建造的。而有關津巴布韋遺址奇觀的傳說，也是在中世紀透過前來貿易的阿拉伯商人傳到歐洲的。有趣的是，阿拉伯人在傳播傳說的過程中，把津巴布韋與所羅門王的名字連在了一起，以致當歐洲人發現這個廢墟時，誤認為這就是所羅門王的藏寶之地。歐洲第一個到達這裡的德國探險家卡爾·毛赫就曾認為，石頭城裡的一些建築物是仿造示巴女王到耶路撒冷拜見所羅門王時所住過的所羅門神殿裡的王宮建造的。

早期的西方探險家一直認為，大津巴布韋建築不是非洲人自己造的。他們認為在蠻荒的非洲南部，當地居民不可能建造出這樣擁有高度文明的古城。甚至現在生活在這裡的馬紹納人，仍然住在低矮簡陋的窩棚中，看不出他們的生活和這些建築有什麼關係。而且，非洲黑

人從來沒有建造石頭建築的傳統，在非洲其他地方也沒有發現類似的建築。

但是也有人說這些建築的風格根本沒有採用東方或者歐洲任何時期建築風格的痕跡，而且，沒有任何證據能證明有外來民族曾在此居住，它應該就是居住在這裡的非洲黑人建造的。而且在遺址中發現的陶器和人工製品與現居非洲南部的現代班圖人的器具非常相似，這種繼承性是非常清晰的事實。只是建造石頭城的民族，可能在西元一八三〇年「祖盧戰爭」期間，被全部趕走了。

建造石頭城的民族究竟是什麼民族，他們沒有在石頭城中留下任何文字記載，加上當地的氣候和酸性土壤對石頭城建築物的侵蝕，讓這個疑問至今無法得到解答。

馬蓬古布韋遺址之謎

　　馬蓬古布韋坐落於南非的北部邊境。據說在二十世紀初，有個在南非出生的白人從當地人那裡聽到了有關馬蓬古布韋埋藏著黃金以及財寶的傳說，便開始了多年的探尋。西元一九三二年，他終於說動了一個當地的居民當嚮導，透過一道狹窄的裂縫，登上了一座四面都是峭壁的平頂山丘的山頂。在這裡，他們發現了一些散落著的陶器碎片、玻璃珠串、銅器殘片、古代鐵具的殘餘之物及黃色金屬，這讓他們欣喜不已。第二天，他們又找到了一些黃金。後來，據專家測定，這些黃金的冶煉年代可以追溯至西元一二〇〇年左右，這也是在這片遺址中發現的最早的黃金。

　　從那以後，馬蓬古布韋遺址開始引起考古學家的關注。西元一九三三年六月，南非政府已經將馬蓬古布韋保護起來，並開始了發掘工作。隨後，在馬蓬古布韋的一些淺層淤積中發現了一些陶器碎片，經鑑定是早期鐵

器時代的遺物，其地質年代大約在距今一千至八百年間。

經過多年的考古研究，現在已經基本形成大家公認的結論，那就是大約在十二世紀左右，馬蓬古布韋達到鼎盛時期，是一個高度發達的非洲國家的經濟、政治的中心。其繁榮的貿易網絡一直綿延到印度洋海岸，他們不僅控制著東非沿岸和伊斯蘭城邦的貿易，還用象牙、黃金和獸皮交換來自印度太平洋地區包括印度、印度尼西亞和中國等國的玻璃項鍊和陶瓷。馬蓬古布韋地區因此迅速發展起來。當時在非洲次大陸和林波波河與沙謝河兩岸的三萬平方公里的區域，馬蓬古布韋是最重要的內陸定居點。

國際貿易給這一地區帶來了財富，也徹底改變了九百至一千三百年間鐵器時代南非農民的生活方式和文化傳統。社會意識形態的變化，使以畜牧業為中心的城鎮格局因受王室神聖領導的影響而發生改變，等級差別鮮明起來。數年來的考古研究表明，馬蓬古布韋山頂是當地黑人貴族的領地，具有豐富的墓葬，比如一些覆蓋在木雕上的別具一格的金箔，另外還有成千上萬的金珠。為了表示自己的尊貴，貴族們的居住地被一些石頭圍牆保護起來，且在不斷的擴建，而普通居民都住在山下的

河谷地帶。

　　馬蓬古布韋鐵器時代遺址是南部非洲最為著名的鐵器時代遺址之一，代表著馬蓬古布韋鐵器時代的文化。作為橫穿東非港與阿拉伯和印度之間最強大的國際貿易區，它的建立是非洲次大陸歷史上一個重要的里程碑。但是，馬蓬古布韋繁榮的時間卻很短，大約在十三世紀初它就已經開始衰落，在西元一二五〇年左右被人遺棄，成了一片廢墟。

　　關於馬蓬古布韋被遺棄的原因，考古學家們曾經認為，是環境的變化、乾旱和疾病導致了馬蓬古布韋王國的迅速衰落。但氣象學家們經研究後卻發現，十二、十三世紀前後的南非氣候和自然環境並沒有發生太大的變化。

　　也有人認為，馬蓬古布韋王國成也貿易，敗也貿易。馬蓬古布韋王國興盛時，曾經控制著東非沿岸同伊斯蘭城邦的貿易，起初是用象牙，後來是用黃金來作為交換，西元九二七年阿拉伯歷史中就曾記錄了在非洲東海岸的黃金貿易。後來，由於阿拉伯商人們對黃金的強烈慾望不斷增長，他們最終放棄了不佔地利的馬蓬古布韋，跟隨著黃金產地轉移到了北方以及黃金運輸必須經過的港口。失去了貿易中的優勢地位，馬蓬古布韋迅速

走向衰落。而位於它東北方的津巴布韋王國則開始作為
貿易的中心逐漸崛起。

　　由於非洲的古代國家都沒有文字，考古學家們無法
找到確切的記載，而這些古代國家的文明又都早已中斷
和被人遺忘，所以它們興亡的原因，一直是未解之謎。

相關連結

林波波河

　　林波波河是非洲東南部的一條大河。在當地的土著
語言中，「林波波」意為「鱷」，又由於河中鱷魚很
多，因而又叫「鱷魚河」。它發源於南非的約翰尼斯堡
附近海拔一千三百公尺的高地，向北流至南非與博茨瓦
納邊界後向東北流，至南非與津巴布韋邊界後又向東
流，至帕富里附近入莫桑比克境內，東南流入印度洋，
全長一千六百八十公里，流域面積約四十萬平方公里。
其沿岸主要支流有沙謝河、象河、尚加內河等。上游支
流水量小，多為間歇河；中游切過南非高原邊緣山地，
多瀑布急流、淺灘；下游為平原地區河流；中、下游河
段受氣候影響明顯，水量變化較大，雨季時河道加寬，
形成大水泛濫，使沿岸多沼澤、湖泊。

史前姆大陸之謎

　　姆大陸，一塊存在於傳說中的陸地。傳說它佔據了南太平洋的大半部：南起塔希提島、北接夏威夷、東至復活節島、西止馬里亞納群島，東西長約八千公里，南北寬約五千公里，總面積約為三千五百萬平方公里，相當於南、北美洲面積的總和。現在的波利尼西亞群島、美拉尼西亞群島、密克羅尼西亞群島上的居民，據說就是姆大陸移民的後裔。

　　說到姆大陸，不得不提到英國人詹姆斯・喬治瓦特。西元一八六八年，這位英國陸軍上尉第一次踏上南亞次大陸，便對東方文化表現出了熱衷與虔誠。很快，他和當地的印度教僧侶成了朋友。一天，他在一所破敗的寺廟裡漫步，發現了一些鐫刻著奇怪符號的黏土片，這引起了他極大的興趣。寺廟的住持告訴喬治瓦特，這些黏土片是他們世代守護的遠古聖物，只有住持才能解讀。後來，他們又發現了更多的黏土片。兩年後，喬治

瓦特宣稱黏土片被解讀出來的結果，是關於一塊消逝的大陸的訊息。根據他的說法，這些黏土板是「神聖兄弟那加爾」為了追思他失去的母國——姆大陸而製作的。

為了證明自己，喬治瓦特開始了從印度、西藏、泰國、柬埔寨，再到太平洋諸島的姆大陸文明探索之旅。他把一路上看到的土亞摩土群島的金字塔狀祭壇、塔普島的石門、迪安尼島的石柱、雅布島的巨型石幣，還有努克喜巴島的石像等文明遺跡聯繫起來，加上他在不同地區聽到的同樣關於母國沉沒的遠古悲劇，更讓他堅信姆大陸的存在不僅僅是神話，它的秘密就埋藏在深不可測的太平洋廣袤的海平面下。

西元一九三一年，他的名著《消逝的大陸》在紐約出版，成為轟動一時的暢銷書。此後，他陸續推出了《姆大陸的子孫》、《姆大陸的宇宙力》等專著，勾勒出了遠古時期太平洋中姆大陸的概貌。姆文明誕生於四季如夏綠意盎然的大地，並且創建了地球上第一個大帝國，名為「姆帝國」。姆帝國的國王稱「拉姆」，「拉」表示太陽，「姆」表示母親，因此姆帝國又被稱為「太陽之母的帝國」。姆國人有很高的智慧又精於航海，便經常組織殖民團向海外發展。最初的一團由卡拉族人組

成，向東航行，從中美洲抵達南美洲，在當地落腳生根，創建了「卡拉帝國」。維吾爾族人向西出發，在東北亞上岸深入內地，開拓了從蒙古到西伯利亞大片土地，稱為「維吾爾帝國」，首都建在貝加爾湖以南。那卡族的一團也是向西航行，卻在南亞緬甸登陸，沿印度方向開拓，建立了著名的「那卡帝國」。那卡人的智商很高，科學技術水平超出姆國之上，他們發明的飛行船，經常飛回姆國，帶去各種珍奇物品和金銀寶石。

除了喬治瓦特的研究成果之外，還有其他一些與姆大陸的存在有關的研究和證據。二十世紀初葉，英國人種學家麥克米蘭‧布朗在《太平洋之謎》一書中，首次提出遠古時期太平洋曾經有過一個高度文明的大陸。英國航海家庫克畢生都在尋找這個太平洋中傳說中的大陸，雖然最終無功而返。在喬治瓦特發現那加爾書板並開始進行文明探險的數年以後，在墨西哥城附近，礦物學家威廉‧奈本掘地十公尺，發現了一座已進入鑄鐵時代的印第安古城遺址。據探查，這個古城是大約一萬兩千年前被毀滅的。同一時間，在墨西哥城北的地下，人們挖出了兩千六百多塊石碑，第六百八十四號的碑文這樣寫道：「此聖殿是遵循守護神的代言者，我們偉大的

君主——拉姆的旨意，修建在姆大陸開拓地，庇佑西方太陽帝國的使者。」另外，在美洲大陸的另一處，尤卡坦半島最著名的蒲冬瑪雅城邦烏斯馬爾西部的神廟牆壁上也刻著這樣的碑文：「這座建築物是為了紀念姆，即西部大陸，靈魂大陸神聖的神秘發生的地點而建築的。」

這些研究和發現，讓姆大陸的存在似乎變得更清晰了。而且如果姆大陸真的存在的話，許多古文明遺跡的未解之謎也都能得到很好的解釋。

但持否定態度的人認為，按歷史發展常識，很難想像數萬年前有如此龐大的世界性的帝國，而且古黏土板也沒有公諸於世，所以不能僅憑喬治瓦特的一家之言和其他一些零星的證據就證實姆大陸的存在。在地質學上，一般認為地球上最後一次造山運動——阿爾卑斯造山運動發生在距今六千萬年前，而喬治瓦特卻認為地球上山脈的形成是在距今一萬兩千年前，兩者之間存在著幾千萬年的時間差。另外，從最新考古研究成果來看，太平洋諸島上的居民居住歷史至多不超過三千年，與一萬兩千年前消逝的姆大陸之間也存在著近萬年的間隔。

姆大陸真的存在嗎？或者它僅僅是人們一個美好的願望？一切還是未解之謎。

復活節島的三大謎團

　　西元一七二二年的一天，一個名叫雅各布·洛基文的荷蘭航海家率領一支遠洋探險船隊，登上了太平洋西南部一座無名的火山島，這是歐洲人第一次登上這座小島。因為這天正好是復活節，所以他們把該島命名為「復活節島」。西元一八八八年，智利政府派人接管該島時，也正好是復活節。

　　這座呈三角形狀的火山島，大概是地球上最孤單的小島。它離南美大陸的智利海岸大約有三千七百公里，離最近的有人居住的島嶼也有一千公里之遙。這個小島被發現時，在它上面已經存在著處於原始狀態的波利尼西亞人和令人驚愕的巨石雕像，再加上「會說話」的木板，便構成了這個小島吸引眾多科學家前來的三大謎團。

石像巨人

　　島上聳立著的巨大石像，當地人稱為「莫艾」，它

們由玄武岩、凝灰岩雕鑿而成，幾乎遍佈全島。石像一般高為七公尺至十公尺，平均重達六十噸，總計一千多尊。其中最高大的高二十二公尺，重四百噸。這些雕像造型奇特，眉弓寬大，眼窩深陷，沒有眼珠，耳廓偏長，鼻子高翹，嘴唇緊閉，表情嚴肅，雙手按著肚皮，肩並肩站立在海邊，像是在眺望，又像是在沉思，有的還頭戴石帽。這些巨石雕像不僅成了這個南太平洋島獨特的象徵，而且為這個小島抹上了一層神秘的色彩。

科學家估計，用原始方法雕鑿出一尊七公尺高的石像，就是在許多石匠的配合下，也需要一年的時間。那麼要雕鑿出島上所有的石像，耗時耗工之巨就可想而知了。這上千尊石像究竟是怎樣被雕鑿出來的呢？它們是同時完成的呢，還是分批完成的？

另外，當時沒有運輸機械，他們又是如何把這些龐然大物從採石場運到海邊的呢？有人認為，古代人是用滾木把石像運到海邊的。可是，這個島是一個草原，沒有任何高於三公尺的樹木，更別說可以做滾木的高大喬木了。也有人說，古代人是用藤纜繩套住石像，靠人力從山上慢慢的運下來的。但是藤纜繩能拉動幾十噸重的巨石的可能性也很小。而且，島上這些石人像還有不少

是頭戴石帽的。一頂石帽，小的也有兩噸，大的重約十幾噸。這又給我們帶來一個問題。要把這些石帽戴到巨人石像的頭上，需要有最起碼的起重設備，但是他們連最原始的搬運設備都沒有，裝卸裝置就更不可能有了。

學者們還考證出，大約到西元一六五〇年，雕鑿工程停了下來。從現場環境看，當時停工的直接原因可能是突然遇到了天災，比如說火山噴發、地震、海嘯等。

一些考古學家認為，石像是古代島上居民用來供奉祖先的紀念碑。還有少數人揣測，這些巨人石像是天外來客送給地球居民的傑作。

考古學家們對於有關莫艾的眾多謎團還沒有理出頭緒，近幾年，人們從島內地下又發掘出了許多新的巨人雕像。這些新的巨人雕像與之前島上的石像很不一樣，卻與的的喀喀湖畔印加人最古老的祭祀中心的跪姿石人非常相似。於是考古學家們推測，它們很可能也出自印加人之手。基於這一發現，考古學家已經把發掘工作轉向地下，希望能找出更多的線索。

「會説話的木板」

在巨大的莫艾附近，人們曾發現過刻滿奇異圖案的木

板，這就是當地土著人稱為「天書」的「會說話的木板」。

　　木板長約兩公尺，兩面都有用鯊魚牙齒或者堅硬鋒利的黑曜石刻出的方塊象形文字。這些文字有的像人，有的像魚、鳥、草木，有的像船槳，有的是一些幾何圖形。刻寫的方法也十分別致，一行從右至左，一行從左至右，前後兩行首尾相接構成 S 形。

復活節島上的莫艾

　　島上原本有很多這種「會說話的木板」，但是如今只殘存二十五塊，分散藏於一些國家的博物館中。原來，十九世紀四〇年代，歐洲的傳教士來到島上，將這種木板當做異教的邪物，投入火中化為灰燼。他們還放火燒了數間存放這種木板的房子。這珍貴的二十五塊木

板還是因為一位土著人將它們釘成了一隻漁船，才逃過了傳教士的耳目而得以倖存下來。

那麼，這些「會說話的木板」究竟出自何人之手？用意何在呢？

有人認為，這是島上的土著居民——波利尼西亞人的祖先遺留下來的。據傳，他們的祖先是在一位名叫霍圖‧馬圖阿的酋長的率領下，乘坐兩隻獨木舟從太平洋西部某地來到復活節島的。霍圖‧馬圖阿酋長隨身攜帶了六十七塊「會說話的木板」。從他傳承至今，已經傳了二十二代人。看來，他們在十四世紀以前就來到了復活節島。這同波利尼西亞人遷徙的歷史相吻合。另外，在其他島嶼上也發現過波利尼西亞人遺留下來的粗製石像。

也有人認為，復活節島當時人少，科學落後，沒有條件創造出這樣的奇蹟。因此，島上的奇蹟是外星人所為，該島曾是外星人的一個基地。這種說法當然更缺乏證據。

來路不明的土著人

復活節島上的土著居民一般身高在六至六點五英

尺，紅頭髮，白皮膚，大耳垂。許多人幾乎全身赤裸，身上刺著飛鳥和其他奇怪動物的圖案。他們大多數住在或長或矮、用蘆葦蓋起來的茅屋裡。

航海家和探險家來到這座火山島，有時在島上只看見幾個土著婦女，而看不到任何土著男人和小孩。有時在島上可以看見上百個土著人，但他們卻都是已近中年的男人，而沒有見到任何一個土著婦女和兒童。那麼，其他人究竟上哪兒去了呢？他們是不是還有一些用於居住的地洞？

從發現這座小島到現在，人們一直感到奇怪的是，復活節島是一座孤零零的火山島，島上的土著居民究竟是從哪裡來的？他們究竟來自什麼種族？復活節島上的遺跡與那些島民究竟有著怎樣的關聯？

之前有人說，那些島上的居民來自亞非大陸古代文明的發源地，他們是印度人、中國人和埃及人的後代。還有人認為，島上的居民是乘船東行移居此地的波利尼西亞人。而一位考古學家則認為，島上的居民是秘魯的前印加文明的移民。這種種說法各持己見，但都不能令人完全信服。所以，復活節島上的這些來路不明的土著人，仍是一個謎。

太平洋「墓島」之謎

南馬特爾遺跡

太平洋上的文明古跡源遠流長，東部有復活節島，西部則有「墓島」。這個墓島其實是一個叫泰蒙的小島延伸出去的一片珊瑚礁淺灘，淺灘上巨大的玄武石柱縱橫交錯，壘起一座座四公尺多高的建築物，島上大大小小的這類建築共有八十九座。遠遠看去，怪石林立，讓人望而生畏。

據說，這些海神廟一樣的建築是波納佩歷代酋長的墓，所以這裡才被人們稱之為「墓島」。波納佩人則稱之為「南馬特爾遺跡」。但是沒有人能夠解釋這些建築是如何建成的。而且南馬特爾遺跡似乎充滿了神異力量，侵擾它的人大多會離奇死亡。難道這裡真有神靈的詛咒嗎？

石柱之謎

來自歐美的學者的調查顯示，用於修建古墓的一百萬根玄武岩石柱，都是經加工後用筏子從北岸的採石場運到墓地來的。但是這些石柱是如何運到這裡的，卻讓建築專家們十分困惑。

據估算，如果每天按一千名壯勞力計，光從事開採石柱的毛坯就需要六百五十五年，而將石柱加工成五邊形或六邊形的石棱柱，又需花去三百年的時間，再加上路上運輸和最終砌成建築物的時間，合起來至少需要一千五百年的時間。

美國一個調查小組曾用碳十四測年法對這些建築物的建造年代進行了測定。結果證實，它們只有八百多年的歷史。另外，一些從事世界歷史研究的學者根據波納佩島的歷史背景指出，十三世紀初是薩烏魯魯王朝統治波納佩島的時期。以此推斷，環繞該島的南馬特爾遺跡是作為薩烏魯魯王朝的軍事要塞而修建的。但薩烏魯魯王朝創始於十一世紀，只經歷了兩百多年的繁榮就滅亡了。而在這麼短的時間內就完成了這麼浩大的工程，則更令人費解了。

根據以上結論，我們可以推測，光憑借人力，這項工程是無法完成的。那麼如何解釋現存的這些古墓呢？

　　從事地質研究的學者試圖利用玄武岩的成因來說明這些建築的修建問題，即玄武岩是岩漿冷卻後的火成岩。但石柱的表面有鐵器加工過的痕跡，這就排除了自然成形的說法。另外一種說法認為石棱柱原是岩漿冷卻凝固而成的自然體，石棱柱呈現出的五角、六角形，則是人工加工而成的。

　　但是這些都只是研究者們的推測，至於這些建築究竟是何時修建的，又是如何修建的？始終沒有人能給出一個令人信服的答案和解釋。

亡靈的詛咒

　　關於墓島一直有不少神秘的傳說，而發生的一些離奇事件則為它增添了更多恐怖的色彩。

　　這片遺跡半浸在海水之中，退潮時，周圍便是泥濘一片，根本無路可以接近它。只有在漲潮的時候，人們才能駕船前去。這似乎是在傳達死者的警告，告訴人們不要去侵擾他們的亡靈。

　　上個世紀七〇年代，日本的海洋生物學家白井祥平

決定去墓島上做一次詳細的調查。他並沒有向當地人透露他的想法，只帶著三名助手，偷偷駕船駛向墓島。一路上風平浪靜，就在他們從一座古墓的外側繞進內側時，忽然陰風四起，氣溫驟降，剛才萬里無雲的天空不知何時已冒出一塊黑雲並疾速向四周擴展，接著電閃雷鳴，大雨劈頭蓋臉的澆了下來。驟變的天氣讓他們想起了當地人的警告，並迅速調轉船頭駛出了墓地。就在他們駛離墓地的一剎那，立刻風消雲散，天氣晴好如初。

當白井祥平去請教哈特萊酋長，敘述了他們在墓地的離奇遭遇後，酋長放聲大笑，連聲說這是死者對他們擅闖墓地的警告。而當白井祥平再追問死者用的是什麼機關時，酋長卻馬上變了臉色，起身謝客。

據當地人說，這些古墓的來歷以及其中的秘密不是透過文字的記錄來傳授的，而是靠口授，口授的內容只有酋長和酋長的繼承人才知道。受傳授者一旦向外人洩露這些內容，將會遭到詛咒，死神就會降臨到洩密者和竊密者的頭上。

在日本佔領波納佩島期間，一位日本教授利用佔領者的權勢，威逼當時的酋長說出了古墓的秘密，結果使這位洩密的酋長突遭雷擊身亡。獲悉秘密的教授正準備

出書將秘密公諸於世的時候，也暴死在寫字桌旁。而繼續整理他遺稿的人在接受委託後，也突然離奇死亡。

　　還有一些利慾熏心、以盜取古墓文物為目的的盜墓者也遭到了同樣的下場。在德國統治南洋群島時，一位名叫伯格的德國軍官到波納佩島任第二任總督之職，對南馬特爾遺跡產生了極大的興趣。他用暴力從酋長的口中逼出了古墓的秘密，企圖進行武裝掘墓。伯格下令掘墓後不到一天就突然暴斃，後來，德國的一位考古學家不信真的有什麼亡靈的詛咒，再次來此挖掘文物，結果還未及動手，也暴斃在島上。

　　這一切離奇死亡的事件都無法用常理來解釋，但如果僅用亡靈的詛咒來解釋的話，顯然也是無法讓人接受的。目前這一切，都是讓人不敢接近的謎團。

國家圖書館出版品預行編目資料

探索古文明未解之謎 / 劉艷霞編著. -- 修訂 1 版.
-- 新北市：黃山國際出版社有限公司, 2024.02
　　　　面；　　公分. --（百科探索；005）
ISBN 978-986-397-160-3（平裝）
1.CST：百科全書　2.CST：青少年讀物

　　　　047　　　　112017031

百科探索 005
探索古文明未解之謎

編　　著　劉艷霞
出　　版　黃山國際出版社有限公司
　　　　　220 新北市板橋區縣民大道 3 段 93 巷 30 弄 25 號 1 樓
　　　　　電話：02-32343788　　傳真：02-22234544
　　　　　E-mail：pftwsdom@ms7.hinet.net
印　　刷　百通科技股份有限公司
　　　　　電話：02-86926066 傳真：02-86926016
總 經 銷　貿騰發賣股份有限公司
　　　　　新北市 235 中和區立德街 136 號 6 樓
　　　　　電話：02-82275988　　傳真：02-82275989
　　　　　網址：www.namode.com
版　　次　2024 年 2 月修訂 1 版
特　　價　新台幣 320 元（缺頁或破損的書，請寄回更換）

ISBN：　978-986-397-160-3